하루 10분 서술형/문장제 학습지

수학 독해

E3

도형 측정

초5~초6

Creative to Math
씨투엠

씨투엠
수학독해 : 수학을 스스로 읽고 해결하다

객관식이나 간단한 단답형 문제는 자신 있는데 긴 문장이나 풀이 과정을 쓰라는 문제는 어려워하는 아이들이 있어요. 빠르고 정확하게 연산하고 교과 응용문제까지도 곧잘 풀어내지만, 문제 속 상황이 약간만 복잡해지면 문제를 풀려고도 하지 않는 아이들도 많아요. 이러한 아이들에게 부족한 것은 연산 능력이나 문제 해결력보다는 독해력과 표현력입니다. 특히 수학적 텍스트를 이해하고 표현하는 능력, 즉 수학 독해력이지요.

요즘 아이들의 독해력이 약해진 가장 큰 이유는 과거에 비해 이야기를 만나는 방식이 다양해졌기 때문이에요. 예전에는 대부분 말이나 글로써만 이야기를 접했어요. 텍스트 위주로 여러 가지 사건을 간접 체험하고, 머릿 속으로 상황을 그려내는 훈련이 자연스럽게 이루어졌지요. 반면 요즘 아이들은 글보다도 TV나 스마트폰 등 영상매체에 훨씬 빨리, 자주 노출되기에 글을 통해 상상을 할 필요가 점점 없어지게 되었습니다.

그렇다고 아이들에게 어렸을 때부터 영화나 애니메이션을 못 보게 하고 책만 읽게 하는 것은 바람직하지 않고, 가능하지도 않아요. 시각 매체는 그 자체로 많은 장점이 있기 때문에 지금의 아이들은 예전 세대에 비해 이미지에 대한 이해력과 적용력이 매우 뛰어나답니다. 문제는 아직까지 모든 학습과 평가 방식이 여전히 텍스트 위주이기 때문에 지금도 아이들에게 독해력이 중요하다는 점이에요. 그래서 저희는 영상 매체에는 익숙하지만 말이나 글에는 약한 아이들을 위한 새로운 수학 독해력 향상 프로그램인 씨투엠 수학독해를 기획하게 되었어요.

씨투엠 수학독해는 기존 문장제/서술형 교재들보다 더욱 쉽고 간단한 학습법을 보여주려 해요. 문제에 있는 문장과 표현 하나하나마다 따로 접근하여 아이들이 어려워하는 포인트를 찾고, 각 포인트마다 직관적인 활동을 통해 독해력과 표현력을 차근차근 끌어올리려고 합니다. 또한 문제 이해와 풀이 서술 과정을 단계별로 세세하게 나누어 문장제, 서술형 문제를 부담 없이 체계적으로 연습할 수 있어요. 새로운 문장제 학습법인 씨투엠 수학독해가 문장제 문제에 특히 어려움을 겪고 있거나 앞으로 서술형 문제를 좀 더 잘 대비하고 싶은 아이들에게 큰 도움이 될 것이라 자신합니다.

수학독해의 구성과 특징

- 매일 부담없이 2쪽씩, 하루 10분 문장제 학습
- 매주 5일간 단계별 활동, 6일차는 중요 문장제 확인학습
- 5회분의 진단평가로 테스트 및 복습

주차별 구성

일일학습

꼬마 수학자들의
간단한 팁과 함께
매일 새롭게 만나는
단계별 문장제 활동

확인학습

중요 문장제 활동을
다시 한번 확인하며
주차 학습 마무리

1주차	1일	2일	3일	4일	5일	확인학습
	6쪽 ~ 7쪽	8쪽 ~ 9쪽	10쪽 ~ 11쪽	12쪽 ~ 13쪽	14쪽 ~ 15쪽	16쪽 ~ 18쪽

2주차	1일	2일	3일	4일	5일	확인학습
	20쪽 ~ 21쪽	22쪽 ~ 23쪽	24쪽 ~ 25쪽	26쪽 ~ 27쪽	28쪽 ~ 29쪽	30쪽 ~ 32쪽

3주차	1일	2일	3일	4일	5일	확인학습
	34쪽 ~ 35쪽	36쪽 ~ 37쪽	38쪽 ~ 39쪽	40쪽 ~ 41쪽	42쪽 ~ 43쪽	44쪽 ~ 46쪽

4주차	1일	2일	3일	4일	5일	확인학습
	48쪽 ~ 49쪽	50쪽 ~ 51쪽	52쪽 ~ 53쪽	54쪽 ~ 55쪽	56쪽 ~ 57쪽	58쪽 ~ 60쪽

진단평가 구성

진단평가

4주 간의 문장제 학습에서 부족한 부분을
확인하고 복습하기 위한 자가 진단 테스트

진단평가	1회	2회	3회	4회	5회
	62쪽 ~ 63쪽	64쪽 ~ 65쪽	66쪽 ~ 67쪽	68쪽 ~ 69쪽	70쪽 ~ 71쪽

이 책의 차례

1주차

둘레와 넓이(1)

🌸 다음 정다각형의 둘레를 구하세요.

⭐

7 cm

(정삼각형의 둘레) = (한 변의 길이) × (변의 수)

식 : _____7×3=21_____

답 : ___21 cm___

①

6 cm

식 : _____

답 : _____

②

3 cm

식 : _____

답 : _____

③

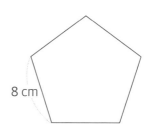

8 cm

식 : _____

답 : _____

④

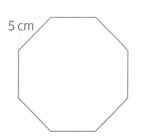

5 cm

식 : _____

답 : _____

⑤

4 cm

식 : _____

답 : _____

정다각형의 둘레는 한 변의 길이와 변의 수의 곱이야.

 □가 있는 식을 쓰고 답을 구하세요.

✿ 정사각형의 둘레가 ㉜cm일 때 한 변의 길이는 몇 cm일까요?

식 : _____□×4=32_____   답 : ___8 cm___

□ = 32 ÷ 4

① 정삼각형 모양의 연못의 둘레가 21 m일 때 연못의 한 변의 길이는 몇 m일까요?

식 : _____   답 : _____

② 정육각형 모양의 과자의 둘레가 30 cm일 때 과자의 한 변의 길이는 몇 cm일까요?

식 : _____   답 : _____

③ 정칠각형의 둘레가 63 cm일 때 한 변의 길이는 몇 cm일까요?

식 : _____   답 : _____

다음 사각형의 둘레를 구하세요.

✪ 직사각형

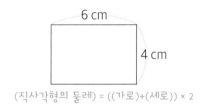

(직사각형의 둘레) = ((가로)+(세로)) × 2

식 : __(6+4)×2=20__

답 : __20 cm__

① 직사각형

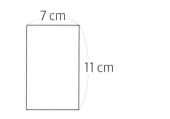

식 : _____

답 : _____

② 평행사변형

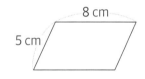

식 : _____

답 : _____

③ 평행사변형

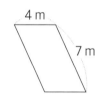

식 : _____

답 : _____

④ 마름모

식 : _____

답 : _____

⑤ 마름모

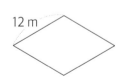

식 : _____

답 : _____

직사각형, 평행사변형은 마주 보는 두 변의 길이가 같아.

🐞 **다음 물음에 답하세요.**

⭐ 평행사변형과 둘레가 같은 마름모가 있습니다. 마름모의 한 변의 길이는 몇 cm일까요?

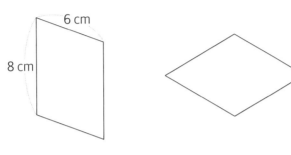

답 : _____7 cm_____

(평행사변형의 둘레) = (8 + 6) × 2 = 28 (cm),

(마름모의 둘레) = ☐ × 4 = 28, ☐ = 7 (cm)

① 정삼각형과 둘레가 같은 직사각형이 있습니다. 직사각형의 가로는 몇 cm일까요?

답 : _____

② 평행사변형과 둘레가 같은 정육각형이 있습니다. 정육각형의 한 변의 길이는 몇 cm일까요?

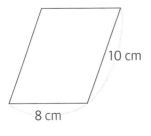

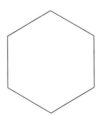

답 : _____

🐝 도형의 넓이를 구하세요.

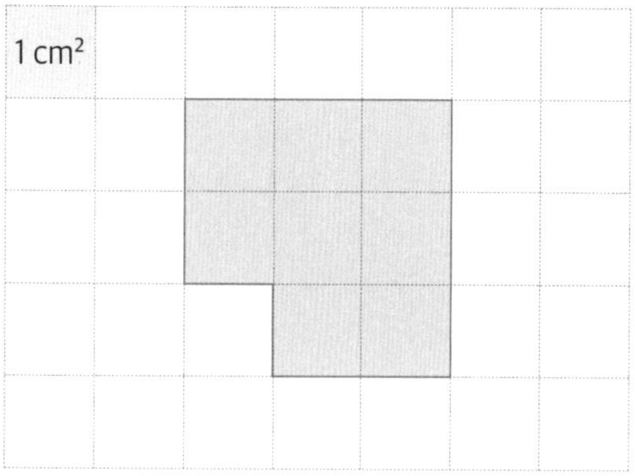

⭐
1 cm²

답 : __8 cm²__

①
1 cm²

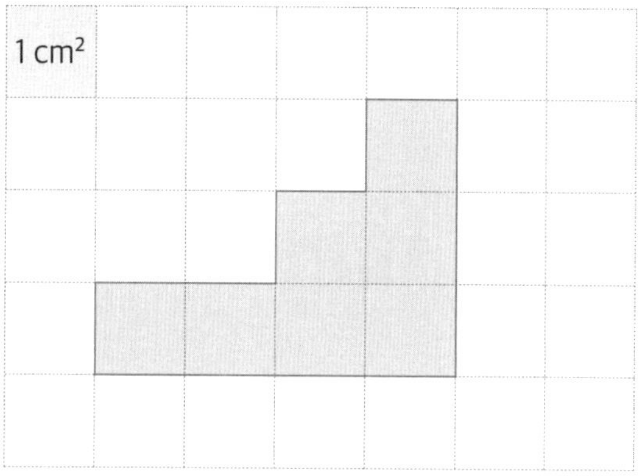

답 : _____

②
1 cm²

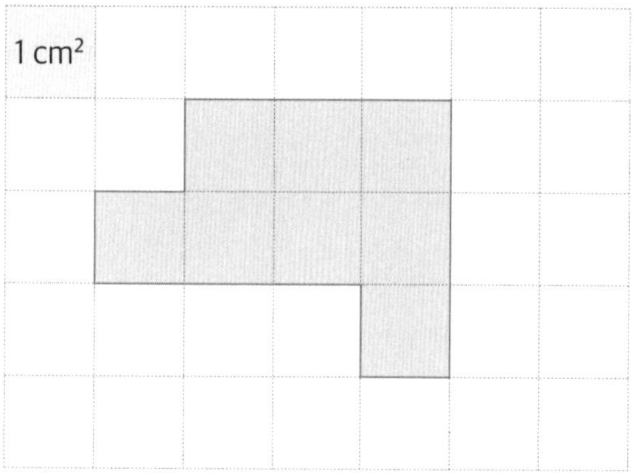

답 : _____

③
1 cm²

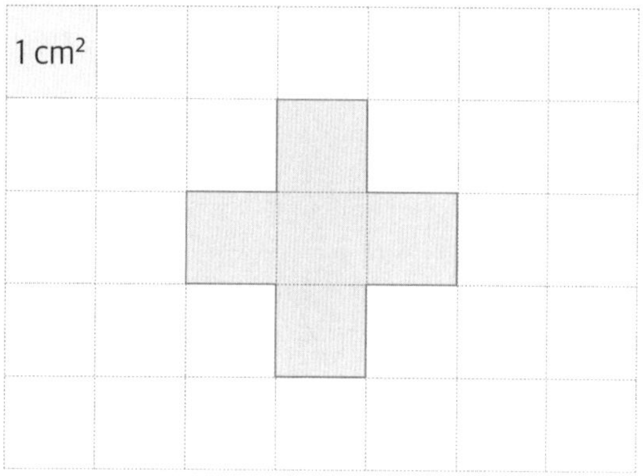

답 : _____

④
1 cm²

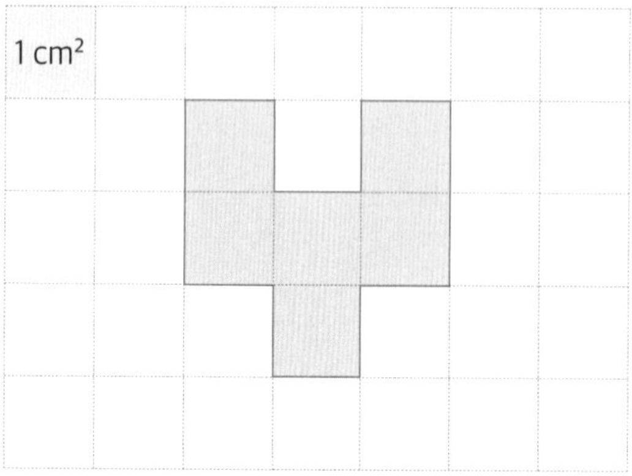

답 : _____

⑤
1 cm²

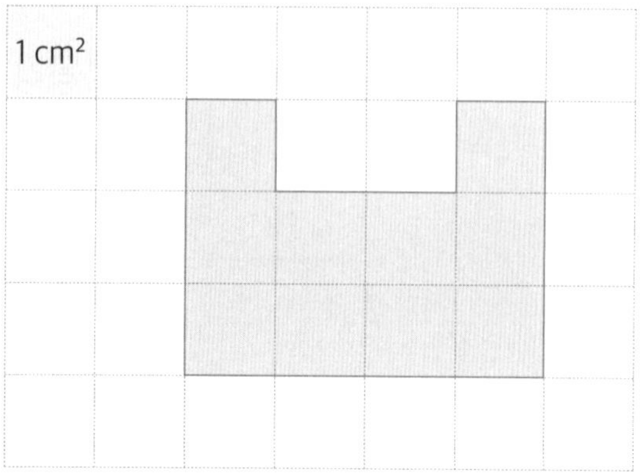

답 : _____

🐝 □ 안에 알맞은 수를 써넣으세요.

⭐ 1 cm²

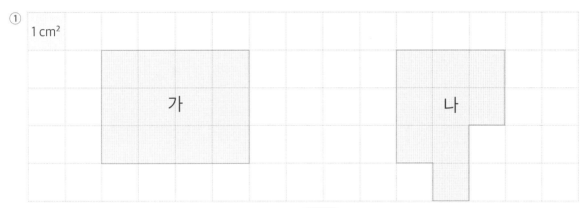

가

10 cm²

나

9 cm²

도형 가는 도형 나보다 **1** cm² 더 넓습니다.

① 1 cm²

가

나

도형 가는 도형 나보다 □ cm² 더 넓습니다.

② 1 cm²

가

나

도형 가는 도형 나보다 □ cm² 더 넓습니다.

🎨 알맞은 식을 쓰고 답을 구하세요.

⭐ 가로가 4 cm, 세로가 3 cm인 직사각형 모양의 지우개가 있습니다. 이 지우개의 넓이는 몇 cm²일까요?

식 : ____4×3=12____   답 : ____12 cm²____

(직사각형의 넓이) = (가로) × (세로)

① 가로가 11 cm, 세로가 16 cm인 직사각형 모양의 편지지가 있습니다. 이 편지지의 넓이는 몇 cm²일까요?

식 : _____   답 : _____

② 한 변의 길이가 13 cm인 정사각형 모양의 색종이가 있습니다. 이 색종이의 넓이는 몇 cm²일까요?

식 : _____   답 : _____

③ 정민이가 산 수첩은 가로가 9 cm, 세로가 14 cm인 직사각형 모양입니다. 수첩의 넓이는 몇 cm²일까요?

식 : _____   답 : _____

직사각형의 넓이는 가로와 세로의 곱이야.

 □가 있는 식을 쓰고 답을 구하세요.

✿ 넓이가 54 cm²이고 가로가 9 cm인 직사각형이 있습니다. 이 직사각형의 세로는 몇 cm일까요?

식 :   9×□=54   답 :   6 cm

□ = 54 ÷ 9

① 넓이가 119 cm²이고 세로가 7 cm인 직사각형이 있습니다. 이 직사각형의 가로는 몇 cm일까요?

식 : _____ 답 : _____

② 넓이가 64 cm²인 정사각형의 한 변의 길이는 몇 cm일까요?

식 : _____ 답 : _____

③ 넓이가 360 cm²이고 가로가 24 cm인 직사각형 모양의 떡이 있습니다. 이 떡의 세로는 몇 cm일까요?

식 : _____ 답 : _____

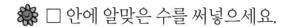 □ 안에 알맞은 수를 써넣으세요.

☆ 30000 cm² = $\boxed{3}$ m²

☆ 5000000 m² = $\boxed{5}$ km²

① 70000 cm² = ☐ m²

② 9000000 m² = ☐ km²

③ 4000000 cm² = ☐ m²

④ 60000000 m² = ☐ km²

⑤ 2 m² = ☐ cm²

⑥ 50 km² = ☐ m²

⑦ 16 m² = ☐ cm²

⑧ 300 km² = ☐ m²

$1 m^2 = 10000 cm^2$

$1 km^2 = 1000000 m^2$

🌸 다음 물음에 답하세요.

✪ 가로가 25 m 이고 세로가 1400 cm 인 직사각형의 넓이는 몇 m²일까요?

답 : _____ 350 m²

1400 cm = 14 m이므로

(직사각형의 넓이) = 25 × 14 = 350 m²

① 가로가 90 cm이고 세로가 4 m인 직사각형의 넓이는 몇 cm²일까요?

답 : _____

② 가로가 5000 m이고 세로가 7 km인 직사각형의 넓이는 몇 km²일까요?

답 : _____

③ 가로가 11 km이고 세로가 1500 m인 직사각형의 넓이는 몇 m²일까요?

답 : _____

✎ □가 있는 식을 쓰고 답을 구하세요.

① 정오각형의 둘레가 45 cm일 때 한 변의 길이는 몇 cm일까요?

식 : _____   답 : _____

② 정팔각형 모양의 초콜릿의 둘레가 32 cm일 때 초콜릿의 한 변의 길이는 몇 cm일까요?

식 : _____   답 : _____

✎ 알맞은 식을 쓰고 답을 구하세요.

③ 가로가 7 cm, 세로가 4 cm인 직사각형의 둘레는 몇 cm일까요?

식 : _____   답 : _____

④ 한 변의 길이가 14 cm인 마름모의 둘레는 몇 cm일까요?

식 : _____   답 : _____

✎ 도형의 넓이를 구하세요.

⑤
1 cm²

⑥
1 cm²

답 : _____

답 : _____

✎ □ 안에 알맞은 수를 써넣으세요.

⑦
1 cm²

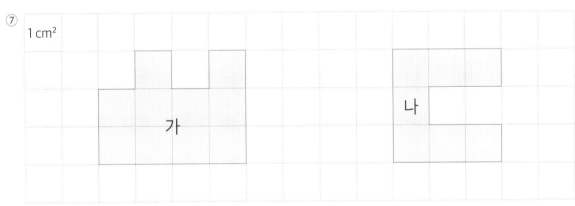

도형 가는 도형 나보다 ☐ cm² 더 넓습니다.

✎ □가 있는 식을 쓰고 답을 구하세요.

⑧ 넓이가 63 cm²이고 가로가 7 cm인 직사각형이 있습니다. 이 직사각형의 세로는 몇 cm일까요?

식 : ＿＿＿＿＿＿＿＿＿＿＿＿　　　답 : ＿＿＿＿＿＿＿＿＿＿＿＿

⑨ 넓이가 144 cm²인 정사각형의 한 변의 길이는 몇 cm일까요?

식 : ＿＿＿＿＿＿＿＿＿＿＿＿　　　답 : ＿＿＿＿＿＿＿＿＿＿＿＿

✎ 다음 물음에 답하세요.

⑩ 가로가 12 m, 세로가 1800 cm인 직사각형의 넓이는 몇 m²일까요?

답 : ＿＿＿＿＿＿＿＿＿＿＿＿

⑪ 가로가 7000 m이고 세로가 13 km인 직사각형의 넓이는 몇 m²일까요?

답 : ＿＿＿＿＿＿＿＿＿＿＿＿

2주차

둘레와 넓이(2)

🌸 평행사변형을 보고 □ 안에 알맞은 수를 써넣으세요.

☆

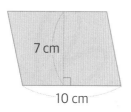

7 cm

10 cm

넓이 : **70** cm²

(넓이) = 10 × 7 = 70 (cm²)

①

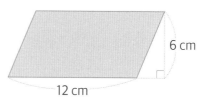

6 cm

12 cm

넓이 : ☐ cm²

②

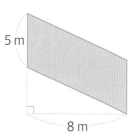

5 m

8 m

넓이 : ☐ m²

③

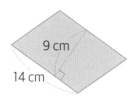

9 cm

14 cm

넓이 : ☐ cm²

④

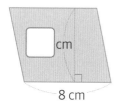

☐ cm

8 cm

넓이 : 56 cm²

⑤

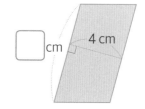

☐ cm

4 cm

넓이 : 24 cm²

(평행사변형의 넓이)
= (밑변의 길이) × (높이)

✿ 알맞은 식을 쓰고 답을 구하세요.

☆ 미술 시간에 교실 환경판을 꾸미는데 밑변의 길이가 ⑬ cm, 높이가 ⑧ cm인 평행사변형 모양 조각이 필요합니다. 평행사변형 모양 조각의 넓이는 몇 cm²일까요?

식 : ___13×8=104___   답 : ___104___ cm²

(평행사변형의 넓이) = (밑변의 길이) × (높이)

① 밑변의 길이가 7 cm이고 높이가 5 cm인 평행사변형의 넓이는 몇 cm²일까요?

식 : _____   답 : _____

② 밑변의 길이가 12 m, 높이가 1100 cm인 평행사변형 모양의 꽃밭이 있습니다. 이 꽃밭의 넓이는 몇 m²일까요?

식 : _____   답 : _____

③ 밑변의 길이가 6 cm이고 넓이가 72 cm²인 평행사변형이 있습니다. 이 평행사변형의 높이는 몇 cm일까요?

식 : _____   답 : _____

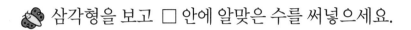 삼각형을 보고 □ 안에 알맞은 수를 써넣으세요.

★

6 cm

7 cm

넓이 : [21] cm²

(넓이) = 7 × 6 ÷ 2 = 21 (cm²)

①

8 m

13 m

넓이 : [ ] m²

②

4 cm

9 cm

넓이 : [ ] cm²

③

11 cm

4 cm

넓이 : [ ] cm²

④

8 cm

[ ] cm

넓이 : 36 cm²

⑤

14 cm

[ ] cm

넓이 : 49 cm²

(삼각형의 넓이)
= (밑변의 길이) × (높이) ÷ 2

🎨 알맞은 식을 쓰고 답을 구하세요.

⭐ 밑변의 길이가 ⑩ cm, 높이가 ⑦ cm인 삼각형 모양의 색종이가 있습니다. 색종이의 넓이는 몇 cm²일까요?

식 : _____10×7÷2=35_____   답 : _____35 cm²_____

(삼각형의 넓이) = (밑변의 길이) × (높이) ÷ 2

① 밑변의 길이가 6 cm, 높이가 9 cm인 삼각형의 넓이는 몇 cm²일까요?

식 : _____   답 : _____

② 밑변의 길이가 16 m, 높이가 2000 cm인 삼각형 모양의 놀이터가 있습니다. 이 놀이터의 넓이는 몇 m²일까요?

식 : _____   답 : _____

③ 밑변의 길이가 8 cm이고 넓이가 56 cm²인 삼각형이 있습니다. 이 삼각형의 높이는 몇 cm일까요?

식 : _____   답 : _____

🐝 마름모를 보고 ☐ 안에 알맞은 수를 써넣으세요.

☆

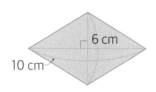

넓이 : ☐30☐ cm²

(넓이) = 10 × 6 ÷ 2 = 30 (cm²)

①

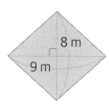

넓이 : ☐ m²

②

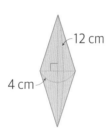

넓이 : ☐ cm²

③

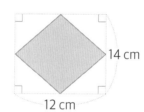

넓이 : ☐ cm²

④

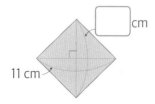

넓이 : 55 cm²

⑤

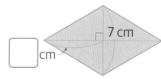

넓이 : 42 cm²

(마름모의 넓이)
= (한 대각선의 길이) ×
(다른 대각선의 길이)
÷ 2

🐝 알맞은 식을 쓰고 답을 구하세요.

⭐ 유미가 만든 가오리연의 몸통은 한 대각선의 길이가 ④⓪cm이고, 다른 대각선의 길이는 ⑤⓪cm인 마름모 모양입니다. 가오리연의 몸통의 넓이는 몇 cm²일까요?

식 :   40×50÷2=1000   답 :   1000 cm²

(마름모의 넓이) = (한 대각선의 길이) × (다른 대각선의 길이) ÷ 2

① 한 대각선의 길이가 9 cm, 다른 대각선의 길이가 14 cm인 마름모의 넓이는 몇 cm²일까요?

식 : _____   답 : _____

② 한 대각선의 길이가 4 km, 다른 대각선의 길이가 6000 m인 마름모 모양의 공원이 있습니다. 이 공원의 넓이는 몇 km²일까요?

식 : _____   답 : _____

③ 넓이가 135 cm²인 마름모가 있습니다. 이 마름모의 한 대각선의 길이가 18 cm일 때 다른 대각선의 길이는 몇 cm일까요?

식 : _____   답 : _____

🐞 사다리꼴을 보고 ☐ 안에 알맞은 수를 써넣으세요.

⭐
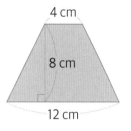
4 cm
8 cm
12 cm

넓이 : ┃ 64 ┃ cm²

(넓이) = (4 + 12) × 8 ÷ 2 = 64 (cm²)

①
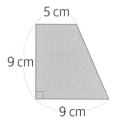
5 cm
9 cm
9 cm

넓이 : ┃　┃ cm²

②
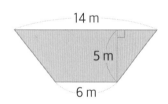
14 m
5 m
6 m

넓이 : ┃　┃ m²

③
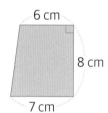
6 cm
8 cm
7 cm

넓이 : ┃　┃ cm²

④
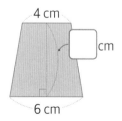
4 cm
┃　┃ cm
6 cm

넓이 : 30 cm²

⑤
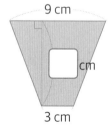
9 cm
┃　┃ cm
3 cm

넓이 : 48 cm²

(사다리꼴의 넓이)
=((윗변의 길이)
+(아랫변의 길이))
× (높이) ÷ 2

 알맞은 식을 쓰고 답을 구하세요.

☆ 윗변의 길이가 ④cm, 아랫변의 길이가 ⑤cm, 높이가 ⑧cm인 사다리꼴 모양의 나무 조각이 있습니다. 이 나무 조각의 넓이는 몇 cm²일까요?

식 : ___(4+5)×8÷2=36___   답 : ___36 cm²___

(사다리꼴의 넓이) = ((윗변의 길이) + (아랫변의 길이)) × (높이) ÷ 2

① 윗변의 길이가 7 cm, 아랫변의 길이가 11 cm, 높이가 5 cm인 사다리꼴의 넓이는 몇 cm²일까요?

식 : _____   답 : _____

② 윗변의 길이가 5 m, 아랫변의 길이가 12 m, 높이가 600 cm인 사다리꼴 모양의 텃밭이 있습니다. 이 텃밭의 넓이는 몇 m²일까요?

식 : _____   답 : _____

③ 넓이가 50 cm²인 사다리꼴이 있습니다. 이 사다리꼴의 윗변의 길이가 7 cm, 아랫변의 길이가 3 cm일 때 높이는 몇 cm일까요?

식 : _____   답 : _____

✿ 색칠한 부분의 넓이는 몇 cm²인지 알맞은 풀이를 쓰고 답을 구하세요.

⭐

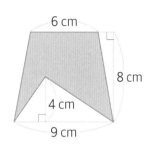

풀이 : (색칠한 부분의 넓이)

=(사다리꼴의 넓이)−(삼각형의 넓이)

=(6+9)×8÷2−9×4÷2

=60−18=42 (cm²)

답 : ___42 cm²___

①

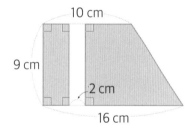

풀이 :

답 : _____

②

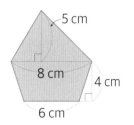

풀이 :

답 : _____

두 도형의 넓이의 합 또는 차로 나타내 봐.

🌼 알맞은 풀이를 쓰고 답을 구하세요.

✪ 직사각형 모양의 밭에 평행사변형 모양의 길을 만들었습니다. 길을 제외한 밭의 넓이는 몇 m²일까요?

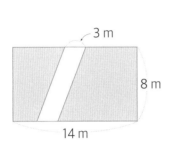

풀이 : (색칠한 부분의 넓이)

= (직사각형의 넓이)−(평행사변형의 넓이)

= 14×8−3×8

= 112−24=88 (m²)

답 : ___88 m²___

① 다음 그림과 같은 모양의 부메랑이 있습니다. 부메랑의 넓이는 몇 cm²일까요?

풀이 :

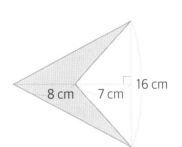

답 : _____

② 마름모 안에 마름모를 그린 것입니다. 색칠한 부분의 넓이는 몇 cm²일까요?

풀이 :

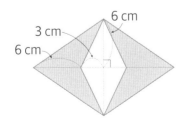

답 : _____

✎ 알맞은 식을 쓰고 답을 구하세요.

① 밑변의 길이가 12 cm이고 높이가 6 cm인 평행사변형의 넓이는 몇 cm²일까요?

식 : _____   답 : _____

② 밑변의 길이가 7 m, 높이가 1400 cm인 평행사변형 모양의 텃밭이 있습니다. 이 텃밭의 넓이는 몇 m²일까요?

식 : _____   답 : _____

③ 밑변의 길이가 15 cm, 높이가 14 cm인 삼각형 모양의 도화지가 있습니다. 도화지의 넓이는 몇 cm²일까요?

식 : _____   답 : _____

④ 밑변의 길이가 20 cm이고 넓이가 120 cm²인 삼각형이 있습니다. 이 삼각형의 높이는 몇 cm일까요?

식 : _____   답 : _____

✏️ 알맞은 식을 쓰고 답을 구하세요.

⑤ 한 대각선의 길이가 7 cm, 다른 대각선의 길이가 16 cm인 마름모의 넓이는 몇 cm²일까요?

식 : _____ 답 : _____

⑥ 한 대각선의 길이가 5000 m, 다른 대각선의 길이가 12 km인 마름모 모양의 호수가 있습니다. 이 호수의 넓이는 몇 km²일까요?

식 : _____ 답 : _____

⑦ 윗변의 길이가 7 cm, 아랫변의 길이가 9 cm, 높이가 6 cm인 사다리꼴 모양의 색종이가 있습니다. 이 색종이의 넓이는 몇 cm²일까요?

식 : _____ 답 : _____

⑧ 넓이가 56 cm²인 사다리꼴이 있습니다. 이 사다리꼴의 윗변의 길이가 4 cm, 아랫변의 길이가 10 cm일 때 높이는 몇 cm일까요?

식 : _____ 답 : _____

✎ 색칠한 부분의 넓이는 몇 cm²인지 알맞은 풀이를 쓰고 답을 구하세요.

⑨

11 cm
8 cm
10 cm
6 cm
13 cm

풀이 :

답 : _____

⑩

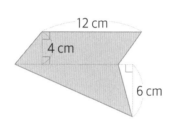

12 cm
4 cm
6 cm

풀이 :

답 : _____

✎ 알맞은 풀이를 쓰고 답을 구하세요.

⑪ 평행사변형 안에 사다리꼴을 그린 것입니다. 색칠한 부분의 넓이는 몇 cm²일까요?

풀이 :

5 cm
10 cm
7 cm
18 cm

답 : _____

3주차

합동과 대칭

❀ 왼쪽 도형과 서로 합동인 도형을 찾아 기호를 써 보세요.

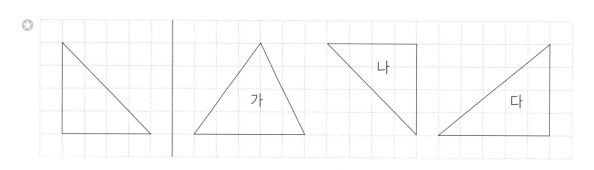

나

①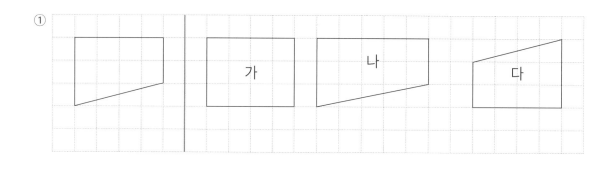

②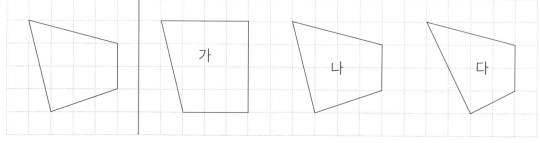

모양과 크기가 같아서 포개었을 때 완전히 겹치는 두 도형을 합동이라고 해.

✿ 다음 물음에 답하세요.

✪ 직사각형에 선을 그어 서로 합동인 삼각형 2개를 만들어 보세요.

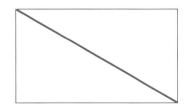

① 직사각형에 선을 그어 서로 합동인 사각형 2개를 만들어 보세요.

② 정오각형에 선을 그어 서로 합동인 사각형 2개를 만들어 보세요.

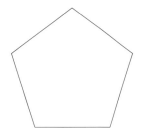

③ 마름모에 선을 2개 그어 서로 합동인 삼각형 4개를 만들어 보세요.

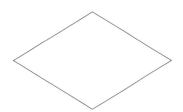

🎨 두 도형은 서로 합동입니다. 밑줄 친 곳에 알맞은 것을 써넣으세요.

☆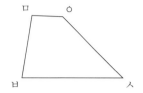

점 ㄹ의 대응점은 점 ____ㅇ____ 입니다.

변 ㄱㄴ의 대응변은 변 ____ㅁㅂ____ 입니다.

각 ㄴㄷㄹ의 대응각은 각 ____ㅂㅅㅇ____ 입니다.

①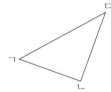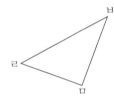

점 ㄱ의 대응점은 점 _____ 입니다.

변 ㄴㄷ의 대응변은 변 _____ 입니다.

각 ㄷㄱㄴ의 대응각은 각 _____ 입니다.

②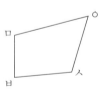

점 ㄴ의 대응점은 점 _____ 입니다.

변 ㄱㄴ의 대응변은 변 _____ 입니다.

각 ㄱㄹㄷ의 대응각은 각 _____ 입니다.

서로 합동인 두 도형에서 대응점, 대응변, 대응각을 찾아보자.

🐞 두 도형은 서로 합동입니다. □ 안에 알맞은 수를 써넣으세요.

⭐
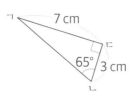
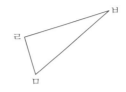

변 ㄹㅁ의 길이는 **3** cm 입니다.

각 ㄹㅁㅂ의 크기는 **65** ° 입니다.

①
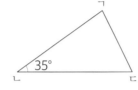
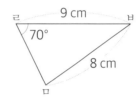

변 ㄱㄴ의 길이는 [ ] cm 입니다.

변 ㄴㄷㄱ의 크기는 [ ] ° 입니다.

각 ㅁㅂㄹ의 크기는 [ ] ° 입니다.

②
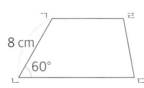
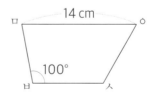

변 ㄴㄷ의 길이는 [ ] cm 입니다.

변 ㅅㅇ의 길이는 [ ] cm 입니다.

각 ㅅㅇㅁ의 크기는 [ ] ° 입니다.

각 ㄱㄹㄷ의 크기는 [ ] ° 입니다.

🐝 다음 물음에 답하세요.

⭐ 두 사각형은 서로 합동입니다. 사각형 ㅁㅂㅅㅇ의 둘레는 몇 cm일까요?

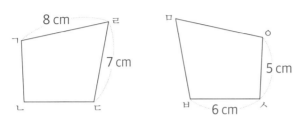

대응변의 길이는 서로 같으므로

(변 ㅁㅂ) = (변 ㄹㄷ) = 7cm, (변 ㅁㅇ) = (변 ㄹㄱ) = 8cm

(사각형 ㅁㅂㅅㅇ의 둘레)= 7 + 6 + 5 + 8 = 26 (cm)

답 : __26__ cm

① 두 삼각형은 서로 합동입니다. 삼각형 ㄱㄴㄷ의 둘레는 몇 cm일까요?

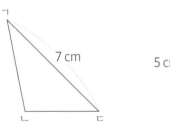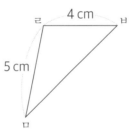

답 : _____

② 두 사각형은 서로 합동입니다. 사각형 ㅁㅂㅅㅇ의 둘레가 14cm일 때 변 ㄷㄹ은 몇 cm일까요?

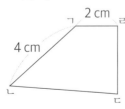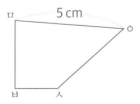

답 : _____

삼각형의 세 각의 합은 180°이고, 사각형의 네 각의 합은 360° 야.

🐝 다음 물음에 답하세요.

✪ 두 삼각형은 서로 합동입니다. 각 ㅁㄹㅂ의 크기를 구하세요.

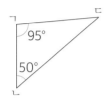
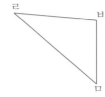

대응각의 크기는 서로 같으므로

(각 ㄹㅂㅁ) = (각 ㄷㄱㄴ) = 95°, (각 ㅂㅁㄹ) = (각 ㄱㄴㄷ) = 50°

(각 ㅁㄹㅂ) = 180° - (95° + 50°) = 35°

답 : <u>35°</u>

① 두 삼각형은 서로 합동입니다. 각 ㅂㄹㅁ의 크기를 구하세요.

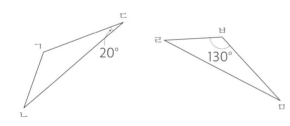

답 : _____

② 두 사각형은 서로 합동입니다. 각 ㅂㅁㅇ의 크기를 구하세요.

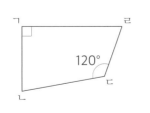
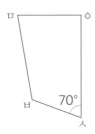

답 : _____

직선 ㄱㄴ을 대칭축으로 하는 선대칭도형입니다. □ 안에 알맞은 수를 써넣으세요.

★

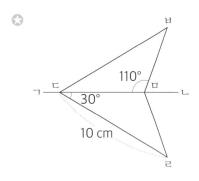

변 ㄷㅂ의 길이는 **10** cm 입니다.

각 ㅂㄷㅁ의 크기는 **30** °입니다.

각 ㄷㅁㄹ의 크기는 **110** °입니다.

①

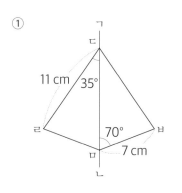

변 ㄷㅂ의 길이는 □ cm 입니다.

사각형 ㄷㄹㅁㅂ의 둘레는 □ cm 입니다.

각 ㄹㅁㄷ의 크기는 □ °입니다.

각 ㅁㅂㄷ의 크기는 □ °입니다.

②

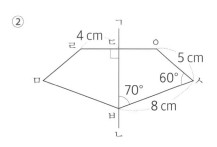

변 ㄹㅁ의 길이는 □ cm 입니다.

변 ㅁㅂ의 길이는 □ cm 입니다.

각 ㄹㅁㅂ의 크기는 □ °입니다.

각 ㄷㄹㅁ의 크기는 □ °입니다.

직선 ㄱㄴ을 대칭축으로 하는 선대칭도형을 완성해 보세요.

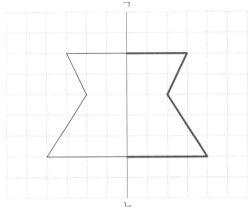

①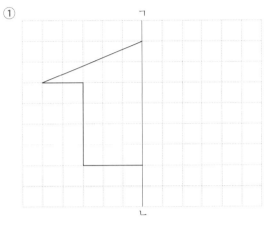

②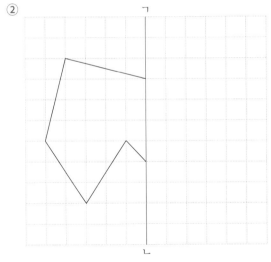

③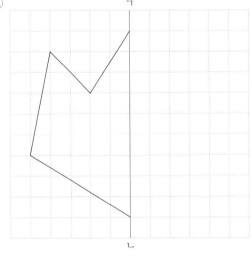

🌸 점 ㅇ을 대칭의 중심으로 하는 점대칭도형입니다. □ 안에 알맞은 수를 써 넣으세요.

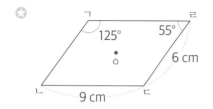

변 ㄱㄴ의 길이는 **6** cm 입니다.

각 ㄱㄴㄷ의 크기는 **55** ° 입니다.

각 ㄴㄷㄹ의 크기는 **125** ° 입니다.

①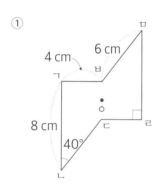

변 ㄷㄹ의 길이는 ☐ cm 입니다.

도형 ㄱㄴㄷㄹㅁㅂ의 둘레는 ☐ cm 입니다.

각 ㅂㄱㄴ의 크기는 ☐ ° 입니다.

각 ㄹㅁㅂ의 크기는 ☐ ° 입니다.

②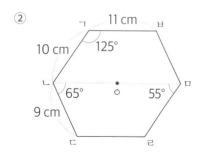

변 ㄹㅁ의 길이는 ☐ cm 입니다.

도형 ㄱㄴㄷㄹㅁㅂ의 둘레는 ☐ cm 입니다.

각 ㄴㅁㅂ의 크기는 ☐ ° 입니다.

각 ㄱㅂㅁ의 크기는 ☐ ° 입니다.

한 도형을 어떤 점을 중심으로 180° 돌렸을 때 처음 도형과 완전히 겹치면 이 도형을 점대칭도형이라고 해.

❀ 점 ㅇ을 대칭의 중심으로 하는 점대칭도형을 완성해 보세요.

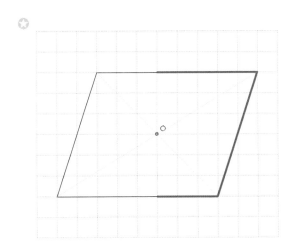

①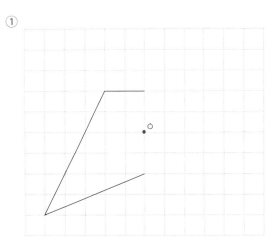

②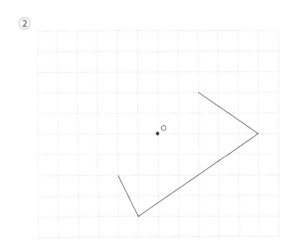

③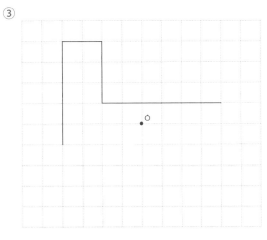

✎ 왼쪽 도형과 서로 합동인 도형을 찾아 기호를 써 보세요.

①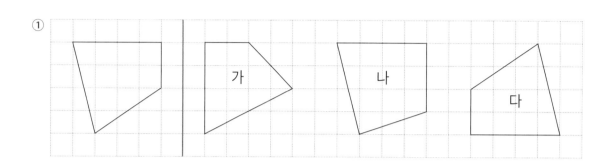

✎ 두 도형은 서로 합동입니다. □ 안에 알맞은 수를 써넣으세요.

②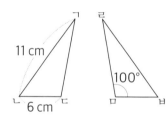

변 ㅁㅂ의 길이는 □ cm 입니다.

각 ㄱㄷㄴ의 크기는 □ ° 입니다.

③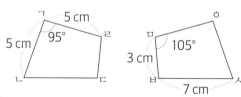

변 ㄷㄹ의 길이는 □ cm 입니다.

각 ㅁㅇㅅ의 크기는 □ ° 입니다.

✏️ 다음 물음에 답하세요.

④ 두 사각형은 서로 합동입니다. 사각형 ㅁㅂㅅㅇ의 둘레를 구하세요.

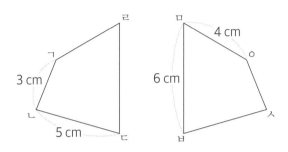

답 : _____

⑤ 두 삼각형은 서로 합동입니다. 각 ㄹㅁㅂ의 크기를 구하세요.

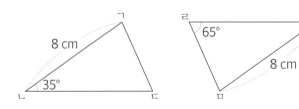

답 : _____

⑥ 두 사각형은 서로 합동입니다. 각 ㅁㅂㅅ의 크기를 구하세요.

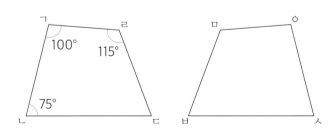

답 : _____

✏️ 직선 ㄱㄴ을 대칭축으로 하는 선대칭도형입니다. □ 안에 알맞은 수를 써넣으세요.

⑦

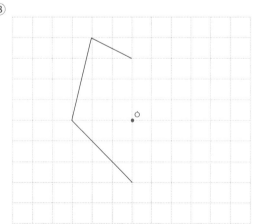

변 ㄹㅁ의 길이는 [ ] cm 입니다.

사각형 ㄷㄹㅁㅂ의 둘레는 [ ] cm 입니다.

각 ㄷㄹㅂ의 크기는 [ ] ° 입니다.

각 ㅁㅂㄹ의 크기는 [ ] ° 입니다.

✏️ 점 ㅇ을 대칭의 중심으로 하는 점대칭도형을 완성해 보세요.

⑧

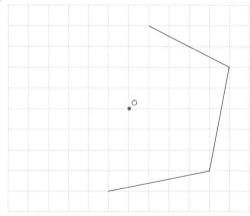

⑨

4주차

직육면체

❀ 다음 입체도형을 보고 물음에 답하세요.

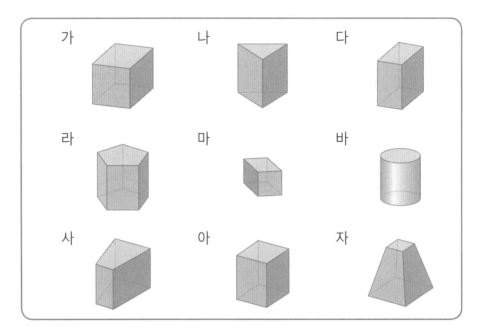

가 나 다

라 마 바

사 아 자

✪ 직육면체를 모두 찾아 기호를 써 보세요.

답 : **가, 다, 마, 아**

① 정육면체를 모두 찾아 기호를 써 보세요.

답 : _____

② 정육면체가 아닌 직육면체를 모두 찾아 기호를 써 보세요.

답 : _____

직사각형 6개로 둘러싸인 도형을 직육면체라고 해.

 다음은 모두 틀린 설명입니다. 틀린 이유를 써 보세요.

✪ 다음 입체도형은 직육면체입니다.

이유 : 직육면체는 직사각형 6개로 둘러싸여 있지만 주어진 도형은 직사각형 4개와 사다리꼴 2개로 둘러싸여 있습니다.

① 직육면체의 면의 수, 꼭짓점의 수, 모서리의 수의 합은 24입니다.

이유 :

② 직육면체는 정육면체라고 할 수 있습니다.

이유 :

직육면체를 보고 물음에 답하세요.

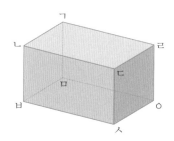

✪ 면 ㄱㄴㄷㄹ과 평행한 면을 찾아 써 보세요.

답 : __면 ㅁㅂㅅㅇ__

① 면 ㄴㅂㅅㄷ과 평행한 면을 찾아 써 보세요.

답 : _____

② 면 ㄱㄴㄷㄹ과 수직인 면을 모두 찾아 써 보세요.

답 : _____

③ 면 ㄱㅁㅇㄹ과 수직인 면을 모두 찾아 써 보세요.

답 : _____

④ 면 ㄷㅅㅇㄹ과 수직이 아닌 면을 찾아 써 보세요.

답 : _____

직육면체에서 평행한 면은 서로 합동이야.

🎖 직육면체를 보고 물음에 답하세요.

✪ 직육면체의 면 ㄱㄴㄷㄹ과 평행한 면의 모서리 길이의 합은 몇 cm일까요?

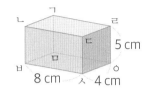

답 : __24 cm__

면 ㄱㄴㄷㄹ과 평행한 면은 면 ㅁㅂㅅㅇ이고 이 면의 모서리의 길이는 각각 8 cm, 4 cm, 8 cm, 4 cm입니다. 따라서 모서리 길이의 합은 8 + 4 + 8 + 4 = 24 (cm)입니다.

① 직육면체의 면 ㄱㄴㄷㄹ과 평행한 면의 모서리 길이의 합은 몇 cm일까요?

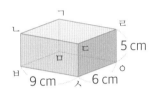

답 : _____

② 직육면체의 면 ㄱㅁㅇㄹ과 평행한 면의 넓이는 몇 cm² 일까요?

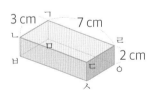

답 : _____

③ 직육면체의 모든 모서리의 길이의 합은 몇 cm일까요?

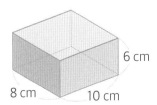

답 : _____

빠진 부분을 그려 넣어 직육면체의 겨냥도를 완성해 보세요.

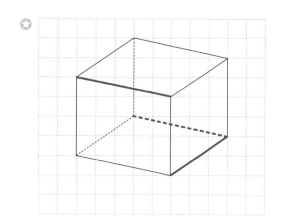

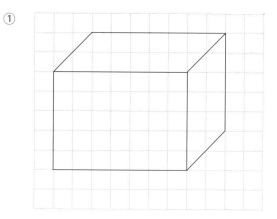

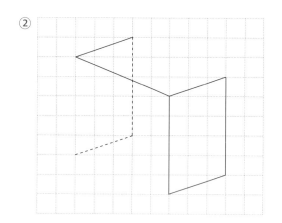

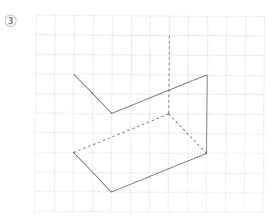

🐝 직육면체를 보고 물음에 답하세요.

✪ 직육면체에서 보이지 않는 모서리의 길이의 합은 몇 cm일까요?

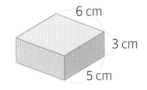

답 : **14** cm

보이지 않는 모서리의 길이는 각각 6 cm, 5 cm, 3 cm이므로
6 + 5 + 3 = 14 (cm)입니다.

① 직육면체에서 보이지 않는 모서리의 길이의 합은 몇 cm일까요?

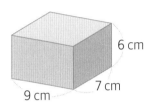

답 : _____

② 직육면체에서 보이는 모서리의 길이의 합은 몇 cm일까요?

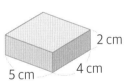

답 : _____

③ 정육면체에서 보이지 않는 모서리의 길이의 합은 몇 cm일까요?

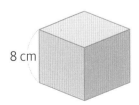

답 : _____

정육면체의 전개도를 보고 물음에 답하세요.

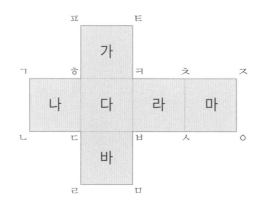

☆ 전개도를 접었을 때 점 ㅁ과 만나는 점을 찾아 써 보세요.

답 : __점 ㅅ__

① 전개도를 접었을 때 점 ㄱ과 만나는 점을 모두 찾아 써 보세요.

답 : _____

② 전개도를 접었을 때 선분 ㅌㅋ과 겹치는 선분을 찾아 써 보세요.

답 : _____

③ 전개도를 접었을 때 면 라와 평행한 면을 찾아 써 보세요.

답 : _____

④ 전개도를 접었을 때 면 가와 수직인 면을 모두 찾아 써 보세요.

답 : _____

정육면체의 전개도는
여러 가지 방법으로
그릴 수 있어.

🎨 다음 물음에 답하세요.

⭐ 정육면체의 전개도를 접었을 때 평행한 면의 무늬
가 모두 같습니다. 전개도 위에 무늬를 알맞게 그
리세요.

정육면체에서 마주 보는 면이 평행한 면입니다.

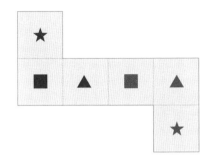

① 정육면체의 전개도를 접었을 때 ●가 그려진 면과
평행한 면을 써 보세요.

답 : _____

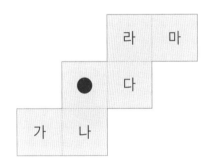

② 정육면체 모양 주사위의 전개도입니다. 주사위의
마주 보는 면에 있는 눈의 수의 합이 7일 때 전개
도 위에 주사위의 눈을 알맞게 그리세요.

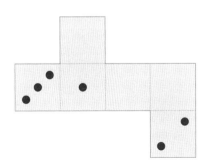

✿ 직육면체의 겨냥도를 보고 전개도를 완성해 보세요.

⭐

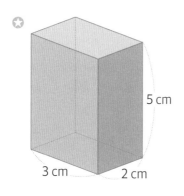

5 cm

3 cm　2 cm

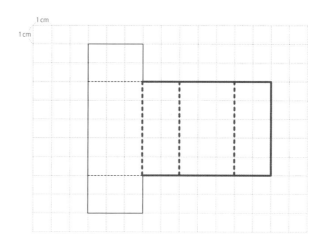

①

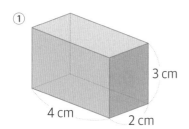

3 cm

4 cm　2 cm

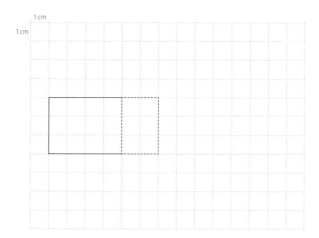

②

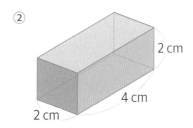

2 cm

4 cm

2 cm

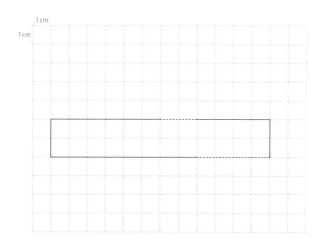

❀ 직육면체의 면에 선을 그었습니다. 이 직육면체의 전개도가 오른쪽
과 같을 때 전개도에 꼭짓점의 기호를 표시하고 나타내는 선을 바르
게 그려 넣으세요.

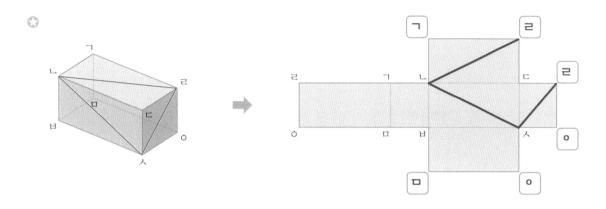

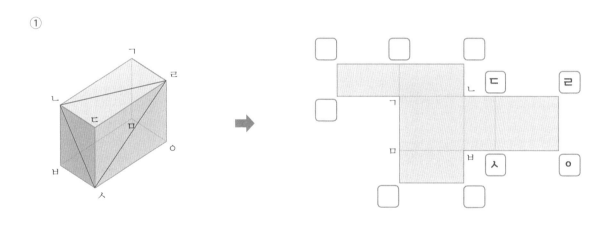

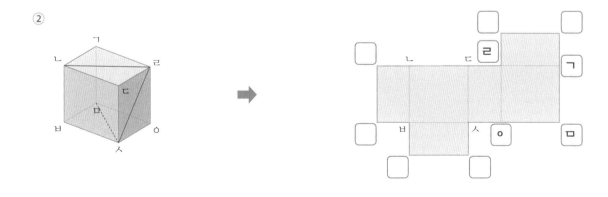

✎ 직육면체를 보고 물음에 답하세요.

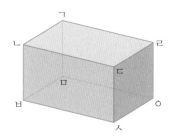

① 면 ㄱㄴㅂㅁ과 평행한 면을 찾아 써 보세요.

답 : _____

② 면 ㄴㅂㅅㄷ과 수직인 면을 모두 찾아 써 보세요.

답 : _____

✎ 직육면체를 보고 물음에 답하세요.

③ 직육면체의 면 ㄴㅂㅅㄷ과 평행한 면의 모서리 길이의
합은 몇 cm일까요?

답 : _____

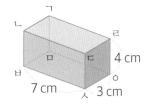

④ 직육면체의 면 ㅁㅂㅅㅇ과 평행한 면의 넓이는 몇 cm²
일까요?

답 : _____

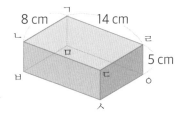

✎ 직육면체를 보고 물음에 답하세요.

⑤ 직육면체에서 보이지 않는 모서리의 길이의 합은 몇 cm일까요?

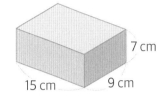

답 : _____

⑥ 직육면체에서 보이는 모서리의 길이의 합은 몇 cm일까요?

답 : _____

✎ 다음 물음에 답하세요.

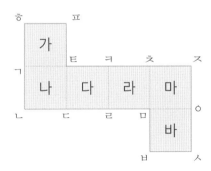

⑦ 전개도를 접었을 때 점 ㄱ과 만나는 점을 찾아 써 보세요.

답 : _____

⑧ 전개도를 접었을 때 선분 ㅂㅅ과 겹치는 선분을 찾아 써 보세요.

답 : _____

✏️ 직육면체의 겨냥도를 보고 전개도를 완성해 보세요.

⑨

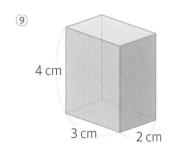

✏️ 직육면체의 면에 선을 그었습니다. 이 직육면체의 전개도가 오른쪽과 같을 때 전개도에 꼭짓점의 기호를 표시하고 나타내는 선을 바르게 그려 넣으세요.

⑩

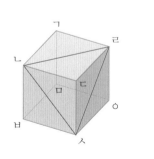

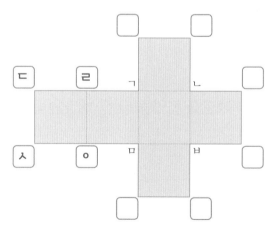

진단평가

진단평가에는 앞에서 학습한 4주차의 문장제 활동이 순서대로 나옵니다. 잘못 푼 문제가 있으면 몇 주차인지 확인하여 반드시 한 번 더 복습해 봅니다.

1주차	3주차
2주차	4주차

✎ 알맞은 식을 쓰고 답을 구하세요.

① 한 변의 길이가 8 cm인 정육각형의 둘레는 몇 cm일까요?

식 : _____ 답 : _____

② 한 변의 길이가 13 m인 정오각형 모양의 연못의 둘레는 몇 m일까요?

식 : _____ 답 : _____

✎ 알맞은 식을 쓰고 답을 구하세요.

③ 밑변의 길이가 11 cm이고 높이가 8 cm인 평행사변형의 넓이는 몇 cm²일까요?

식 : _____ 답 : _____

④ 밑변의 길이가 9 cm이고 넓이가 108 cm²인 평행사변형이 있습니다. 이 평행사변형의 높이는 몇 cm일까요?

식 : _____ 답 : _____

✎ 직선 ㄱㄴ을 대칭축으로 하는 선대칭도형을 완성해 보세요.

⑤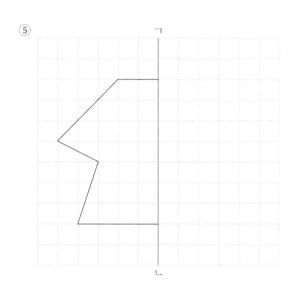

⑥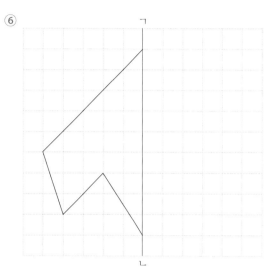

✎ 직육면체를 보고 물음에 답하세요.

⑦ 직육면체의 면 ㄷㅅㅇㄹ과 평행한 면의 넓이는 몇 cm² 일까요?

답 : _____

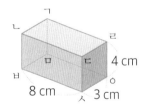

⑧ 직육면체의 모든 모서리의 길이의 합은 몇 cm일까요?

답 : _____

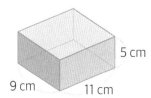

✎ 다음 물음에 답하세요.

① 직사각형과 둘레가 같은 마름모가 있습니다. 마름모의 한 변의 길이는 몇 cm일까요?

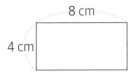 

답 : _____

② 평행사변형과 둘레가 같은 정오각형이 있습니다. 정오각형의 한 변의 길이는 몇 cm일까요?

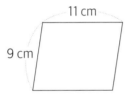

답 : _____

✎ 알맞은 풀이를 쓰고 답을 구하세요.

③ 직사각형 모양의 꽃밭에 평행사변형 모양의 길을 만들었습니다. 길을 제외한 밭의 넓이는 몇 m²일까요?

풀이 :

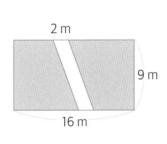

답 : _____

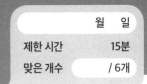
✎ 점 ㅇ을 대칭의 중심으로 하는 점대칭도형입니다. □ 안에 알맞은 수를 써 넣으세요.

④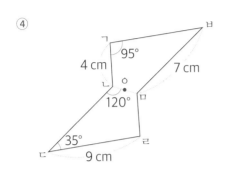

변 ㄴㄷ의 길이는 □ cm입니다.

도형 ㄱㄴㄷㄹㅁㅂ의 둘레는 □ cm 입니다.

각 ㄷㄹㅁ의 크기는 □ °입니다.

각 ㅇㅁㅂ의 크기는 □ °입니다.

✎ 다음 물음에 답하세요.

⑤ 정육면체의 전개도를 접었을 때 평행한 면의 무늬가 모두 같습니다. 전개도 위에 무늬를 알맞게 그리세요.

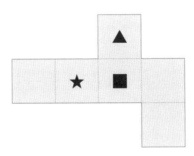

⑥ 정육면체 모양 주사위의 전개도입니다. 주사위의 마주 보는 면에 있는 눈의 수의 합이 7일 때 전개도 위에 주사위의 눈을 알맞게 그리세요.

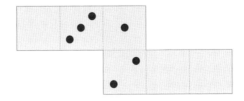

✎ □ 안에 알맞은 수를 써넣으세요.

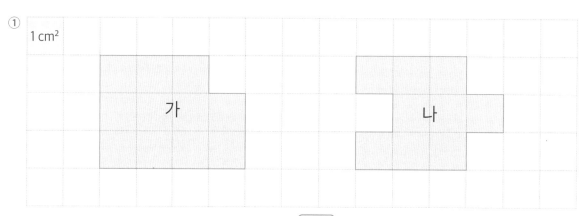

도형 가는 도형 나보다 □ cm² 더 넓습니다.

✎ 알맞은 식을 쓰고 답을 구하세요.

② 윗변의 길이가 6 cm, 아랫변의 길이가 9 cm, 높이가 8 cm인 사다리꼴의 넓이는 몇 cm²일까요?

식 : _____   답 : _____

③ 윗변의 길이가 400 cm, 아랫변의 길이가 700 cm, 높이가 12 m인 사다리꼴 모양의 텃밭이 있습니다. 이 텃밭의 넓이는 몇 m²일까요?

식 : _____   답 : _____

✎ 두 도형은 서로 합동입니다. □ 안에 알맞은 수를 써넣으세요.

④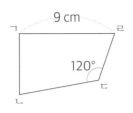

변 ㄱㄴ의 길이는 □ cm 입니다.

변 ㅅㅇ의 길이는 □ cm 입니다.

각 ㅁㅂㅅ의 크기는 □ ° 입니다.

각 ㄱㄹㄷ의 크기는 □ ° 입니다.

✎ 빠진 부분을 그려 넣어 직육면체의 겨냥도를 완성해 보세요.

⑤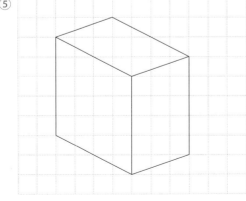

⑥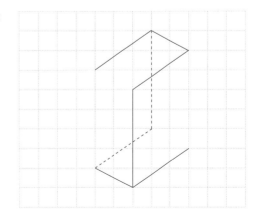

✎ 다음 물음에 답하세요.

① 가로가 270 cm이고 세로가 3 m인 직사각형의 넓이는 몇 cm²일까요?

답 : _____

② 가로가 9000 m이고 세로가 16 km인 직사각형의 넓이는 몇 km²일까요?

답 : _____

✎ 알맞은 식을 쓰고 답을 구하세요.

③ 마름모 모양의 보드게임판은 한 대각선의 길이가 30 cm이고, 다른 대각선의 길이는 45 cm입니다. 보드게임판의 넓이는 몇 cm²일까요?

식 : _____   답 : _____

④ 넓이가 78 cm²인 마름모가 있습니다. 이 마름모의 한 대각선의 길이가 12 cm일 때 다른 대각선의 길이는 몇 cm일까요?

식 : _____   답 : _____

✎ 왼쪽 도형과 서로 합동인 도형을 찾아 기호를 써 보세요.

⑤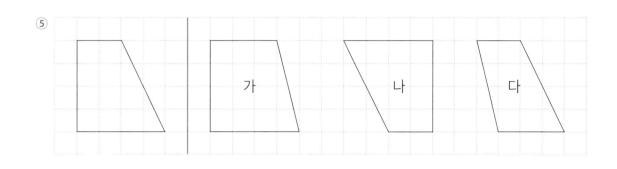

✎ 직육면체의 겨냥도를 보고 전개도를 완성해 보세요.

⑥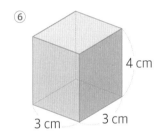

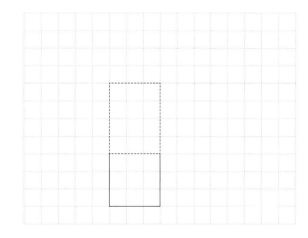

⑦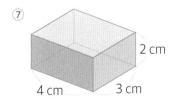

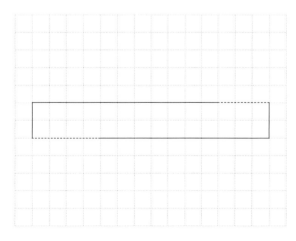

✎ □가 있는 식을 쓰고 답을 구하세요.

① 넓이가 120 cm²이고 세로가 8 cm인 직사각형이 있습니다. 이 직사각형의 가로는 몇 cm일까요?

식 : _____ 답 : _____

② 넓이가 121 cm²인 정사각형의 한 변의 길이는 몇 cm일까요?

식 : _____ 답 : _____

✎ 알맞은 식을 쓰고 답을 구하세요.

③ 밑변의 길이가 7 cm, 높이가 12 cm인 삼각형의 넓이는 몇 cm²일까요?

식 : _____ 답 : _____

④ 밑변의 길이가 40 m, 높이가 1200 cm인 삼각형 모양의 수영장이 있습니다. 이 수영장의 넓이는 몇 m²일까요?

식 : _____ 답 : _____

✎ 다음 물음에 답하세요.

⑤ 두 삼각형은 서로 합동입니다. 삼각형 ㄱㄴㄷ의 둘레는 몇 cm인지 구하세요.

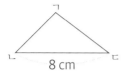
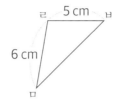

답 : _____

⑥ 두 삼각형은 서로 합동입니다. 각 ㅂㄹㅁ의 크기를 구하세요.

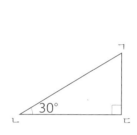

답 : _____

✎ 직육면체의 면에 선을 그었습니다. 이 직육면체의 전개도가 오른쪽과 같을 때 전개도에 꼭짓점의 기호를 표시하고 나타내는 선을 바르게 그려 넣으세요.

⑦

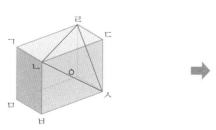
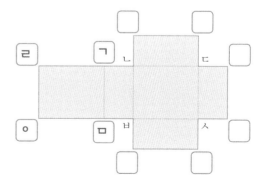

Memo

하루 10분 서술형/문장제 학습지

씨투엠

수학
독해

정답

E3 도형 측정

초5~초6

정답

E3
도형 측정

초5~초6

P 06 ~ 07

1일 정다각형의 둘레

정다각형의 둘레는
한 변의 길이와
변의 수의 곱이다.

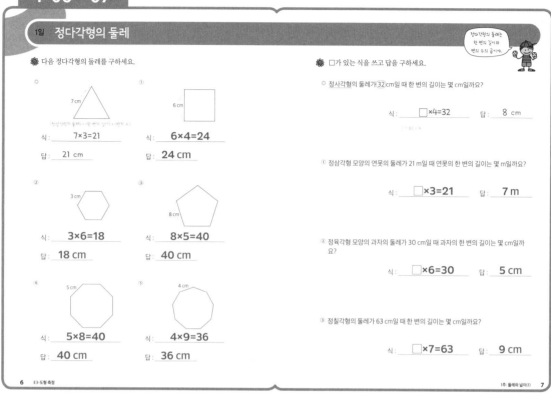

❀ 다음 정다각형의 둘레를 구하세요.

○
7 cm

식: 7×3=21

답: 21 cm

① 6 cm

식: 6×4=24

답: 24 cm

② 3 cm

식: 3×6=18

답: 18 cm

③ 8 cm

식: 8×5=40

답: 40 cm

④ 5 cm

식: 5×8=40

답: 40 cm

⑤ 4 cm

식: 4×9=36

답: 36 cm

❀ □가 있는 식을 쓰고 답을 구하세요.

○ 정사각형의 둘레가 32 cm일 때 한 변의 길이는 몇 cm일까요?

식: □×4=32   답: 8 cm

① 정삼각형 모양의 연못의 둘레가 21 m일 때 연못의 한 변의 길이는 몇 m일까요?

식: □×3=21   답: 7 m

② 정육각형 모양의 과자의 둘레가 30 cm일 때 과자의 한 변의 길이는 몇 cm일까요?

식: □×6=30   답: 5 cm

③ 정칠각형의 둘레가 63 cm일 때 한 변의 길이는 몇 cm일까요?

식: □×7=63   답: 9 cm

P 08 ~ 09

2일 사각형의 둘레

사각형, 평행사변형은
마주 보는 두 변의
길이가 같다.

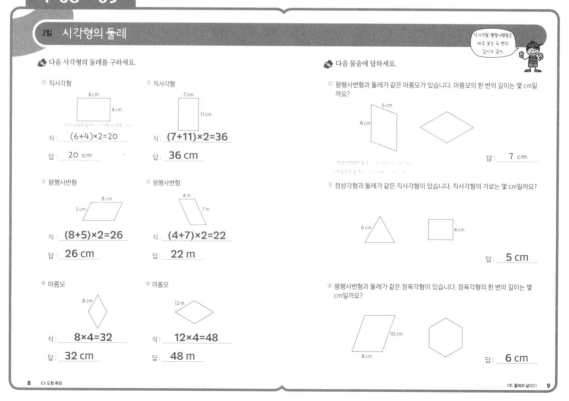

❀ 다음 사각형의 둘레를 구하세요.

○ 직사각형
6 cm
4 cm

식: (6+4)×2=20

답: 20 cm

① 직사각형
7 cm
11 cm

식: (7+11)×2=36

답: 36 cm

② 평행사변형
8 cm
5 cm

식: (8+5)×2=26

답: 26 cm

③ 평행사변형
4 m
7 m

식: (4+7)×2=22

답: 22 m

④ 마름모
8 cm

식: 8×4=32

답: 32 cm

⑤ 마름모
12 m

식: 12×4=48

답: 48 m

❀ 다음 물음에 답하세요.

○ 평행사변형과 둘레가 같은 마름모가 있습니다. 마름모의 한 변의 길이는 몇 cm일까요?
6 cm
8 cm

답: 7 cm

① 정삼각형과 둘레가 같은 직사각형이 있습니다. 직사각형의 가로는 몇 cm일까요?
6 cm
4 cm

답: 5 cm

② 평행사변형과 둘레가 같은 정육각형이 있습니다. 정육각형의 한 변의 길이는 몇 cm일까요?
10 cm
8 cm

답: 6 cm

P 10 ~ 11

3일 단위 넓이

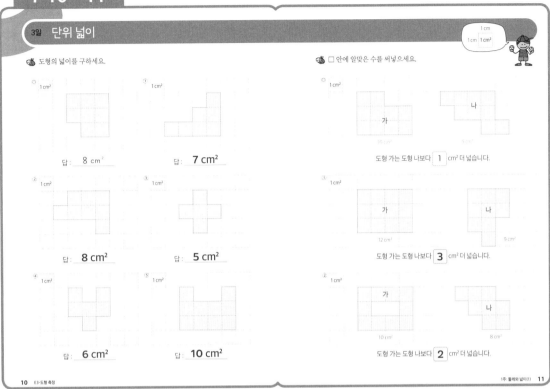

도형의 넓이를 구하세요.

① 답 : 8 cm²
② 답 : 7 cm²
② 답 : 8 cm²
③ 답 : 5 cm²
④ 답 : 6 cm²
⑤ 답 : 10 cm²

□ 안에 알맞은 수를 써넣으세요.

⑤ 도형 가는 도형 나보다 **1** cm² 더 넓습니다.

① 도형 가는 도형 나보다 **3** cm² 더 넓습니다.

② 도형 가는 도형 나보다 **2** cm² 더 넓습니다.

P 12 ~ 13

4일 직사각형의 넓이

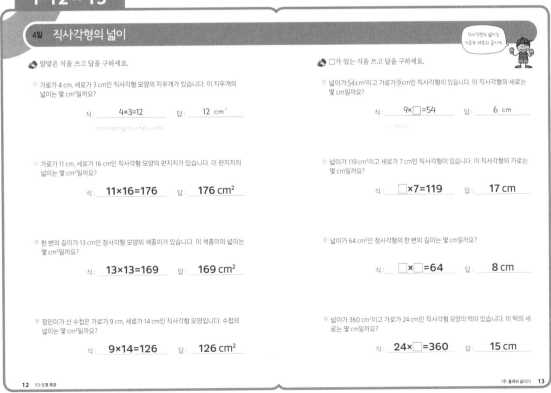

알맞은 식을 쓰고 답을 구하세요.

◎ 가로가 4 cm, 세로가 3 cm인 직사각형 모양의 지우개가 있습니다. 이 지우개의 넓이는 몇 cm²일까요?

식 : 4×3=12   답 : 12 cm²

(직사각형의 넓이)=(가로)×(세로)

① 가로가 11 cm, 세로가 16 cm인 직사각형 모양의 편지지가 있습니다. 이 편지지의 넓이는 몇 cm²일까요?

식 : 11×16=176   답 : 176 cm²

② 한 변의 길이가 13 cm인 정사각형 모양의 색종이가 있습니다. 이 색종이의 넓이는 몇 cm²일까요?

식 : 13×13=169   답 : 169 cm²

③ 정민이가 산 수첩은 가로가 9 cm, 세로가 14 cm인 직사각형 모양입니다. 수첩의 넓이는 몇 cm²일까요?

식 : 9×14=126   답 : 126 cm²

□가 있는 식을 쓰고 답을 구하세요.

◎ 넓이가 54 cm²이고 가로가 9 cm인 직사각형이 있습니다. 이 직사각형의 세로는 몇 cm일까요?

식 : 9×□=54   답 : 6 cm

① 넓이가 119 cm²이고 세로가 7 cm인 직사각형이 있습니다. 이 직사각형의 가로는 몇 cm일까요?

식 : □×7=119   답 : 17 cm

② 넓이가 64 cm²인 정사각형의 한 변의 길이는 몇 cm일까요?

식 : □×□=64   답 : 8 cm

③ 넓이가 360 cm²이고 가로가 24 cm인 직사각형 모양의 떡이 있습니다. 이 떡의 세로는 몇 cm일까요?

식 : 24×□=360   답 : 15 cm

P 14 ~ 15

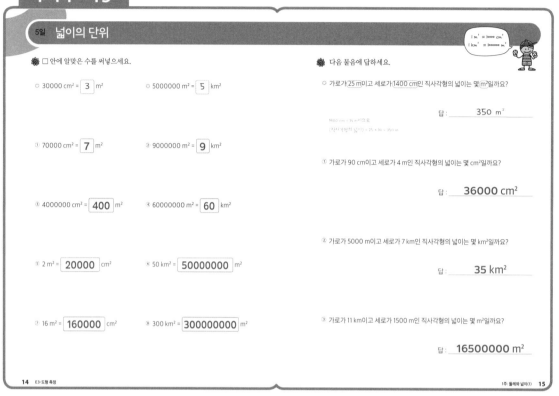

5일 넓이의 단위

$1 m^2 = 10000 cm^2$
$1 km^2 = 1000000 m^2$

❀ □ 안에 알맞은 수를 써넣으세요.

ⓞ 30000 cm² = **3** m²

① 70000 cm² = **7** m²

③ 4000000 cm² = **400** m²

⑤ 2 m² = **20000** cm²

⑦ 16 m² = **160000** cm²

ⓞ 5000000 m² = **5** km²

④ 9000000 m² = **9** km²

⑥ 60000000 m² = **60** km²

⑧ 50 km² = **50000000** m²

⑨ 300 km² = **300000000** m²

❀ 다음 물음에 답하세요.

ⓞ 가로가 25 m이고 세로가 1400 cm인 직사각형의 넓이는 몇 m²일까요?

답 : **350** m²

1400 cm = 14 m이므로
(직사각형의 넓이) = 25 × 14 = 350 m

① 가로가 90 cm이고 세로가 4 m인 직사각형의 넓이는 몇 cm²일까요?

답 : **36000** cm²

② 가로가 5000 m이고 세로가 7 km인 직사각형의 넓이는 몇 km²일까요?

답 : **35** km²

③ 가로가 11 km이고 세로가 1500 m인 직사각형의 넓이는 몇 m²일까요?

답 : **16500000** m²

P 16 ~ 17

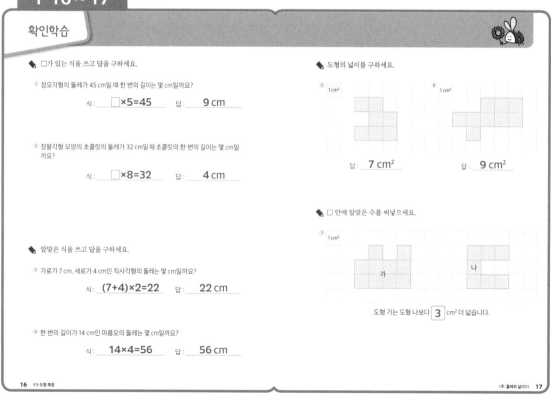

확인학습

✎ □가 있는 식을 쓰고 답을 구하세요.

① 정오각형의 둘레가 45 cm일 때 한 변의 길이는 몇 cm일까요?

식 : **□×5=45**   답 : **9 cm**

② 정팔각형 모양의 초콜릿의 둘레가 32 cm일 때 초콜릿의 한 변의 길이는 몇 cm일까요?

식 : **□×8=32**   답 : **4 cm**

✎ 알맞은 식을 쓰고 답을 구하세요.

③ 가로가 7 cm, 세로가 4 cm인 직사각형의 둘레는 몇 cm일까요?

식 : **(7+4)×2=22**   답 : **22 cm**

④ 한 변의 길이가 14 cm인 마름모의 둘레는 몇 cm일까요?

식 : **14×4=56**   답 : **56 cm**

✎ 도형의 넓이를 구하세요.

⑤ 1 cm²

답 : **7 cm²**

⑥ 1 cm²

답 : **9 cm²**

✎ □ 안에 알맞은 수를 써넣으세요.

⑦ 1 cm²

가   나

도형 가는 도형 나보다 **3** cm² 더 넓습니다.

P 18

확인학습

◆ □가 있는 식을 쓰고 답을 구하세요.

⑧ 넓이가 63 cm²이고 가로가 7 cm인 직사각형이 있습니다. 이 직사각형의 세로는 몇 cm일까요?

식 : __7×□=63__   답 : __9 cm__

⑨ 넓이가 144 cm²인 정사각형의 한 변의 길이는 몇 cm일까요?

식 : __□×□=144__   답 : __12 cm__

◆ 다음 물음에 답하세요.

⑩ 가로가 12 m, 세로가 1800 cm인 직사각형의 넓이는 몇 m²일까요?

답 : __216 m²__

⑪ 가로가 7000 m이고 세로가 13 km인 직사각형의 넓이는 몇 m²일까요?

답 : __91000000 m²__

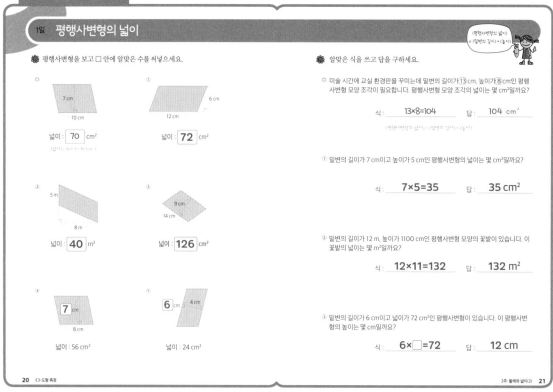

P 20 ~ 21

1일 평행사변형의 넓이

(평행사변형의 넓이)
= (밑변의 길이) × (높이)

❋ 평행사변형을 보고 □ 안에 알맞은 수를 써넣으세요.

ⓞ 7 cm / 10 cm
넓이 : 70 cm²
(넓이) = 10 × 7 = 70 (cm²)

① 6 cm / 12 cm
넓이 : 72 cm²

② 5 m / 8 m
넓이 : 40 m²

③ 9 cm / 14 cm
넓이 : 126 cm²

④ 7 / 8 cm
넓이 : 56 cm²

⑤ 6 / 4 cm
넓이 : 24 cm²

❋ 알맞은 식을 쓰고 답을 구하세요.

◇ 미술 시간에 교실 환경판을 꾸미는데 밑변의 길이가 13 cm, 높이가 8 cm인 평행사변형 모양 조각이 필요합니다. 평행사변형 모양 조각의 넓이는 몇 cm²일까요?

식 : 13×8=104   답 : 104 cm²
(평행사변형의 넓이) = (밑변의 길이) × (높이)

① 밑변의 길이가 7 cm이고 높이가 5 cm인 평행사변형의 넓이는 몇 cm²일까요?

식 : 7×5=35   답 : 35 cm²

② 밑변의 길이가 12 m, 높이가 1100 cm인 평행사변형 모양의 꽃밭이 있습니다. 이 꽃밭의 넓이는 몇 m²일까요?

식 : 12×11=132   답 : 132 m²

③ 밑변의 길이가 6 cm이고 넓이가 72 cm²인 평행사변형이 있습니다. 이 평행사변형의 높이는 몇 cm일까요?

식 : 6×□=72   답 : 12 cm

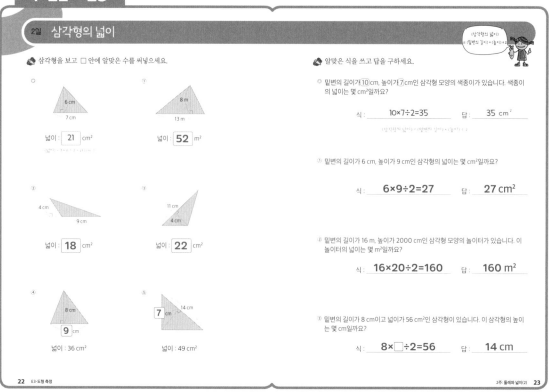

P 22 ~ 23

2일 삼각형의 넓이

(삼각형의 넓이)
= (밑변의 길이) × (높이) ÷ 2

🔹 삼각형을 보고 □ 안에 알맞은 수를 써넣으세요.

ⓞ 6 cm / 7 cm
넓이 : 21 cm²
(넓이) = 7 × 6 ÷ 2 = 21 (cm²)

① 8 m / 13 m
넓이 : 52 m²

② 4 cm / 9 cm
넓이 : 18 cm²

③ 11 cm / 4 cm
넓이 : 22 cm²

④ 8 cm / 9
넓이 : 36 cm²

⑤ 7 / 14 cm
넓이 : 49 cm²

🔹 알맞은 식을 쓰고 답을 구하세요.

◇ 밑변의 길이가 10 cm, 높이가 7 cm인 삼각형 모양의 색종이가 있습니다. 색종이의 넓이는 몇 cm²일까요?

식 : 10×7÷2=35   답 : 35 cm²
(삼각형의 넓이) = (밑변의 길이) × (높이) ÷ 2

① 밑변의 길이가 6 cm, 높이가 9 cm인 삼각형의 넓이는 몇 cm²일까요?

식 : 6×9÷2=27   답 : 27 cm²

② 밑변의 길이가 16 m, 높이가 2000 cm인 삼각형 모양의 놀이터가 있습니다. 이 놀이터의 넓이는 몇 m²일까요?

식 : 16×20÷2=160   답 : 160 m²

③ 밑변의 길이가 8 cm이고 넓이가 56 cm²인 삼각형이 있습니다. 이 삼각형의 높이는 몇 cm일까요?

식 : 8×□÷2=56   답 : 14 cm

P 24 ~ 25

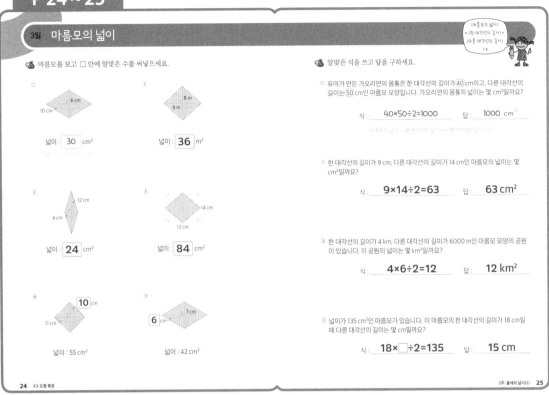

3일 마름모의 넓이

마름모를 보고 □ 안에 알맞은 수를 써넣으세요.

⓪ 넓이 : **30** cm²

① 넓이 : **36** m²

② 넓이 : **24** cm²

③ 넓이 : **84** cm²

④ 넓이 : 55 cm²

⑤ 넓이 : 42 cm²

알맞은 식을 쓰고 답을 구하세요.

(마름모의 넓이)
= (한 대각선의 길이) ×
(다른 대각선의 길이)
÷ 2

⓪ 유미가 만든 가오리연의 몸통은 한 대각선의 길이가 40 cm이고, 다른 대각선의 길이는 50 cm인 마름모 모양입니다. 가오리연의 몸통의 넓이는 몇 cm²일까요?

식 : **40×50÷2=1000**   답 : **1000** cm²

① 한 대각선의 길이가 9 cm, 다른 대각선의 길이가 14 cm인 마름모의 넓이는 몇 cm²일까요?

식 : **9×14÷2=63**   답 : **63** cm²

② 한 대각선의 길이가 4 km, 다른 대각선의 길이가 6000 m인 마름모 모양의 공원이 있습니다. 이 공원의 넓이는 몇 km²일까요?

식 : **4×6÷2=12**   답 : **12** km²

③ 넓이가 135 cm²인 마름모가 있습니다. 이 마름모의 한 대각선의 길이가 18 cm일 때 다른 대각선의 길이는 몇 cm일까요?

식 : **18×□÷2=135**   답 : **15** cm

P 26 ~ 27

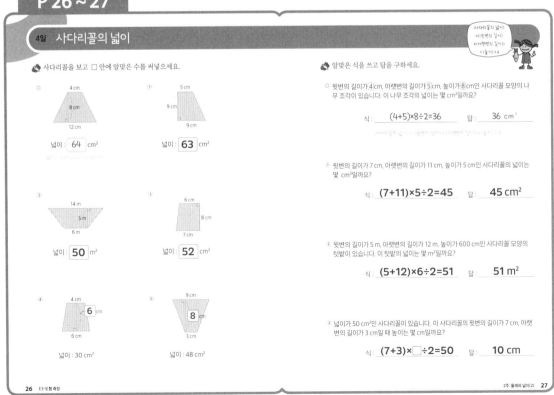

4일 사다리꼴의 넓이

사다리꼴을 보고 □ 안에 알맞은 수를 써넣으세요.

⓪ 넓이 : **64** cm²

① 넓이 : **63** cm²

② 넓이 : **50** m²

③ 넓이 : **52** cm²

④ 넓이 : 30 cm²

⑤ 넓이 : 48 cm²

알맞은 식을 쓰고 답을 구하세요.

(사다리꼴의 넓이)
= ((윗변의 길이)
+ (아랫변의 길이))
× (높이) ÷ 2

⓪ 윗변의 길이가 4 cm, 아랫변의 길이가 5 cm, 높이가 8 cm인 사다리꼴 모양의 나무 조각이 있습니다. 이 나무 조각의 넓이는 몇 cm²일까요?

식 : **(4+5)×8÷2=36**   답 : **36** cm²

③ 윗변의 길이가 7 cm, 아랫변의 길이가 11 cm, 높이가 5 cm인 사다리꼴의 넓이는 몇 cm²일까요?

식 : **(7+11)×5÷2=45**   답 : **45** cm²

② 윗변의 길이가 5 m, 아랫변의 길이가 12 m, 높이가 600 cm인 사다리꼴 모양의 텃밭이 있습니다. 이 텃밭의 넓이는 몇 m²일까요?

식 : **(5+12)×6÷2=51**   답 : **51** m²

③ 넓이가 50 cm²인 사다리꼴이 있습니다. 이 사다리꼴의 윗변의 길이가 7 cm, 아랫변의 길이가 3 cm일 때 높이는 몇 cm일까요?

식 : **(7+3)×□÷2=50**   답 : **10** cm

P 28 ~ 29

5일 여러 가지 도형의 넓이

두 도형의 넓이의 합 또는 차로 나타내 봐.

🌸 색칠한 부분의 넓이는 몇 cm²인지 알맞은 풀이를 쓰고 답을 구하세요.

풀이 : (색칠한 부분의 넓이)
=(사다리꼴의 넓이)-(삼각형의 넓이)
=(6+9)×8÷2-9×4÷2
=60-18=42 (cm²)

답 : __42__ cm²

①

풀이 : (색칠한 부분의 넓이)
=(사다리꼴의 넓이)-(직사각형의 넓이)
=(10+16)×9÷2-2×9
=117-18=99 (cm²)

답 : __99 cm²__

②

풀이 : (색칠한 부분의 넓이)
=(삼각형의 넓이)+(사다리꼴의 넓이)
=8×5÷2+(8+6)×4÷2
=20+28=48 (cm²)

답 : __48 cm²__

🌸 알맞은 풀이를 쓰고 답을 구하세요.

◇ 직사각형 모양의 밭에 평행사변형 모양의 길을 만들었습니다. 길을 제외한 밭의 넓이는 몇 m²일까요?

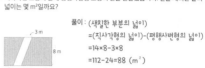

풀이 : (색칠한 부분의 넓이)
=(직사각형의 넓이)-(평행사변형의 넓이)
=14×8-3×8
=112-24=88 (m²)

답 : __88 m²__

① 다음 그림과 같은 모양의 부메랑이 있습니다. 부메랑의 넓이는 몇 cm²일까요?

풀이 : (색칠한 부분의 넓이)
=(큰 삼각형의 넓이)-(작은 삼각형의 넓이)
=16×15÷2-16×7÷2
=120-56=64 (cm²)

답 : __64 cm²__

② 마름모 안에 마름모를 그린 것입니다. 색칠한 부분의 넓이는 몇 cm²일까요?

풀이 : (색칠한 부분의 넓이)
=(큰 마름모의 넓이)-(작은 마름모의 넓이)
=18×12÷2-6×12÷2
=108-36=72 (cm²)

답 : __72 cm²__

P 30 ~ 31

확인학습

✏️ 알맞은 식을 쓰고 답을 구하세요.

① 밑변의 길이가 12 cm이고 높이가 6 cm인 평행사변형의 넓이는 몇 cm²일까요?

식 : __12×6=72__ 답 : __72 cm²__

② 밑변의 길이가 7 m, 높이가 1400 cm인 평행사변형 모양의 텃밭이 있습니다. 이 텃밭의 넓이는 몇 m²일까요?

식 : __7×14=98__ 답 : __98 m²__

③ 밑변의 길이가 15 cm, 높이가 14 cm인 삼각형 모양의 도화지가 있습니다. 도화지의 넓이는 몇 cm²일까요?

식 : __15×14÷2=105__ 답 : __105 cm²__

④ 밑변의 길이가 20 cm이고 넓이가 120 cm²인 삼각형이 있습니다. 이 삼각형의 높이는 몇 cm일까요?

식 : __20×□÷2=120__ 답 : __12 cm__

✏️ 알맞은 식을 쓰고 답을 구하세요.

⑤ 한 대각선의 길이가 7 cm, 다른 대각선의 길이가 16 cm인 마름모의 넓이는 몇 cm²일까요?

식 : __7×16÷2=56__ 답 : __56 cm²__

⑥ 한 대각선의 길이가 5000 m, 다른 대각선의 길이가 12 km인 마름모 모양의 호수가 있습니다. 이 호수의 넓이는 몇 km²일까요?

식 : __5×12÷2=30__ 답 : __30 km²__

⑦ 윗변의 길이가 7 cm, 아랫변의 길이가 9 cm, 높이가 6 cm인 사다리꼴 모양의 색종이가 있습니다. 이 색종이의 넓이는 몇 cm²일까요?

식 : __(7+9)×6÷2=48__ 답 : __48 cm²__

⑧ 넓이가 56 cm²인 사다리꼴이 있습니다. 이 사다리꼴의 윗변의 길이가 4 cm, 아랫변의 길이가 10 cm일 때 높이는 몇 cm일까요?

식 : __(4+10)×□÷2=56__ 답 : __8 cm__

P 32

확인학습

◆ 색칠한 부분의 넓이는 몇 cm²인지 알맞은 풀이를 쓰고 답을 구하세요.

⑨
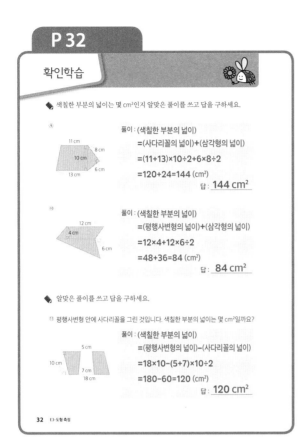

풀이 : (색칠한 부분의 넓이)

　　　=(사다리꼴의 넓이)+(삼각형의 넓이)

　　　=(11+13)×10÷2+6×8÷2

　　　=120+24=144 (cm²)

　　　　　　　　답 : **144 cm²**

⑩

풀이 : (색칠한 부분의 넓이)

　　　=(평행사변형의 넓이)+(삼각형의 넓이)

　　　=12×4+12×6÷2

　　　=48+36=84 (cm²)

　　　　　　　　답 : **84 cm²**

◆ 알맞은 풀이를 쓰고 답을 구하세요.

⑪ 평행사변형 안에 사다리꼴을 그린 것입니다. 색칠한 부분의 넓이는 몇 cm²일까요?

풀이 : (색칠한 부분의 넓이)

　　　=(평행사변형의 넓이)−(사다리꼴의 넓이)

　　　=18×10−(5+7)×10÷2

　　　=180−60=120 (cm²)

　　　　　　　　답 : **120 cm²**

P 34 ~ 35

1일 도형의 합동

모양과 크기가 같아서 포개었을 때 완전히 겹치는 두 도형을 합동이라고 해.

❀ 왼쪽 도형과 서로 합동인 도형을 찾아 기호를 써 보세요.

❀ 다음 물음에 답하세요.

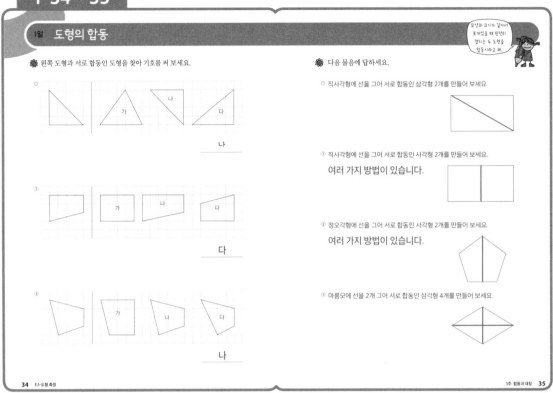

P 36 ~ 37

2일 합동인 도형의 성질(1)

서로 합동인 도형에서 대응점, 대응변, 대응각을 찾아보자.

❀ 두 도형은 서로 합동입니다. 밑줄 친 곳에 알맞은 것을 써넣으세요.

❀ 두 도형은 서로 합동입니다. □ 안에 알맞은 수를 써넣으세요.

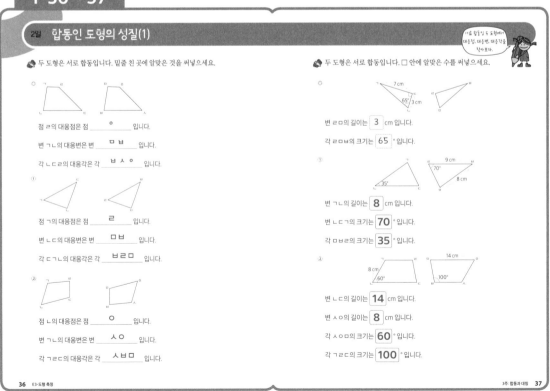

P 38 ~ 39

3일 합동인 도형의 성질(2)

🐟 다음 물음에 답하세요.

○ 두 사각형은 서로 합동입니다. 사각형 ㅁㅂㅅㅇ의 둘레는 몇 cm일까요?

답: **26 cm**

① 두 삼각형은 서로 합동입니다. 삼각형 ㄱㄴㄷ의 둘레는 몇 cm일까요?

답: **16 cm**

② 두 사각형은 서로 합동입니다. 사각형 ㅁㅂㅅㅇ의 둘레가 14cm일 때 변 ㄷㄹ은 몇 cm일까요?

답: **3 cm**

🐟 다음 물음에 답하세요.

○ 두 삼각형은 서로 합동입니다. 각 ㅁㄹㅂ의 크기를 구하세요.

답: **35°**

① 두 삼각형은 서로 합동입니다. 각 ㅂㄹㅁ의 크기를 구하세요.

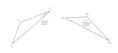

답: **30°**

② 두 사각형은 서로 합동입니다. 각 ㅂㅁㅇ의 크기를 구하세요.

답: **80°**

P 40 ~ 41

4일 선대칭도형

✏️ 직선 ㄱㄴ을 대칭축으로 하는 선대칭도형입니다. □ 안에 알맞은 수를 써넣으세요.

○

변 ㄷㅂ의 길이는 **10** cm 입니다.

각 ㅂㄷㅁ의 크기는 **30** °입니다.

각 ㄷㅁㄹ의 크기는 **110** °입니다.

①

변 ㄷㅂ의 길이는 **11** cm 입니다.

사각형 ㄷㄹㅁㅂ의 둘레는 **36** cm 입니다.

각 ㄹㅁㄷ의 크기는 **70** °입니다.

각 ㅁㅂㄷ의 크기는 **75** °입니다.

②

변 ㄹㅁ의 길이는 **5** cm 입니다.

변 ㅁㅂ의 길이는 **8** cm 입니다.

각 ㄹㅁㅂ의 크기는 **60** °입니다.

각 ㄷㄹㅁ의 크기는 **140** °입니다.

✏️ 직선 ㄱㄴ을 대칭축으로 하는 선대칭도형을 완성해 보세요.

② ③

P 42 ~ 43

5일 점대칭도형

점 ㅇ을 대칭의 중심으로 하는 점대칭도형입니다. □ 안에 알맞은 수를 써 넣으세요.

변 ㄱㄴ의 길이는 **6** cm 입니다.

각 ㄱㄴㄷ의 크기는 **55** °입니다.

각 ㄴㄷㄹ의 크기는 **125** °입니다.

변 ㄷㄹ의 길이는 **4** cm 입니다.

도형 ㄱㄴㄷㄹㅁㅂ의 둘레는 **36** cm 입니다.

각 ㅂㄱㄴ의 크기는 **90** °입니다.

각 ㄹㅁㅂ의 크기는 **40** °입니다.

변 ㄹㅁ의 길이는 **10** cm 입니다.

도형 ㄱㄴㄷㄹㅁㅂ의 둘레는 **60** cm 입니다.

각 ㄴㄷㅂ의 크기는 **65** °입니다.

각 ㄱㅂㅁ의 크기는 **115** °입니다.

점 ㅇ을 대칭의 중심으로 하는 점대칭도형을 완성해 보세요.

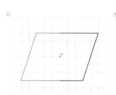

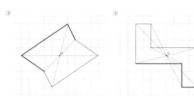

P 44 ~ 45

확인학습

왼쪽 도형과 서로 합동인 도형을 찾아 기호를 써 보세요.

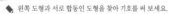

다

두 도형은 서로 합동입니다. □ 안에 알맞은 수를 써넣으세요.

변 ㅁㅂ의 길이는 **6** cm 입니다.

각 ㄱㄷㄴ의 크기는 **100** °입니다.

변 ㄷㄹ의 길이는 **3** cm 입니다.

각 ㅁㅇㅅ의 크기는 **95** °입니다.

다음 물음에 답하세요.

④ 두 사각형은 서로 합동입니다. 사각형 ㅁㅂㅅㅇ의 둘레를 구하세요.

답 : **18 cm**

⑤ 두 삼각형은 서로 합동입니다. 각 ㄹㅁㅂ의 크기를 구하세요.

답 : **80°**

⑥ 두 사각형은 서로 합동입니다. 각 ㅁㅂㅅ의 크기를 구하세요.

답 : **70°**

P 46

확인학습

◆ 직선 ㄱㄴ을 대칭축으로 하는 선대칭도형입니다. □ 안에 알맞은 수를 써넣으세요.

⑦

변 ㄹㅁ의 길이는 **12** cm 입니다.

사각형 ㄷㄹㅁㅂ의 둘레는 **42** cm 입니다.

각 ㄷㄹㅂ의 크기는 **45** ° 입니다.

각 ㅁㅂㄹ의 크기는 **75** ° 입니다.

◆ 점 ㅇ을 대칭의 중심으로 하는 점대칭도형을 완성해 보세요.

⑧

⑨

직육면체

1일 직육면체와 정육면체

> 직사각형 6개로 둘러싸인 도형을 직육면체라고 해.

❀ 다음 입체도형을 보고 물음에 답하세요.

가 나 다
라 마 바
사 아 자

○ 직육면체를 모두 찾아 기호를 써 보세요.

답 : 가, 다, 마, 아

① 정육면체를 모두 찾아 기호를 써 보세요.

답 : 가, 마

② 정육면체가 아닌 직육면체를 모두 찾아 기호를 써 보세요.

답 : 다, 아

❀ 다음은 모두 틀린 설명입니다. 틀린 이유를 써 보세요.

○ 다음 입체도형은 직육면체입니다.

이유 : 직육면체는 직사각형 6개로 둘러싸여 있지만 주어진 도형은 직사각형 4개와 사다리꼴 2개로 둘러싸여 있습니다.

① 직육면체의 면의 수, 꼭짓점의 수, 모서리의 수의 합은 24입니다.

이유 : 직육면체의 면은 6개, 꼭짓점은 8개, 모서리는 12개입니다. 따라서 면의 수, 꼭짓점의 수, 모서리의 수의 합은 6+8+12=26(개)입니다.

② 직육면체는 정육면체라고 할 수 있습니다.

이유 : 직육면체는 직사각형으로 둘러싸인 도형이고, 정육면체는 정사각형으로 둘러싸인 도형인데 직사각형은 정사각형이라고 할 수 없기 때문입니다.

2일 직육면체의 성질

> 직육면체에서 평행한 면은 서로 합동이야.

❀ 직육면체를 보고 물음에 답하세요.

○ 면 ㄱㄴㄷㄹ과 평행한 면을 찾아 써 보세요.

답 : 면 ㅁㅂㅅㅇ

① 면 ㄴㅂㅅㄷ과 평행한 면을 찾아 써 보세요.

답 : 면 ㄱㅁㅇㄹ

② 면 ㄱㄴㄷㄹ과 수직인 면을 모두 찾아 써 보세요.

답 : 면 ㄱㄴㅂㅁ, 면 ㄴㅂㅅㄷ, 면 ㄷㅅㅇㄹ, 면 ㄱㅁㅇㄹ

③ 면 ㄱㅁㅇㄹ과 수직인 면을 모두 찾아 써 보세요.

답 : 면 ㄱㄴㄷㄹ, 면 ㄱㄴㅂㅁ, 면 ㅁㅂㅅㅇ, 면 ㄷㅅㅇㄹ

④ 면 ㄷㅅㅇㄹ과 수직이 아닌 면을 찾아 써 보세요.

답 : 면 ㄱㄴㅂㅁ

❀ 직육면체를 보고 물음에 답하세요.

○ 직육면체의 면 ㄱㄴㄷㄹ과 평행한 면의 모서리 길이의 합은 몇 cm일까요?

답 : 24 cm

5 cm
8 cm
4 cm

① 직육면체의 면 ㄱㄴㄷㄹ과 평행한 면의 모서리 길이의 합은 몇 cm일까요?

답 : 30 cm

5 cm
9 cm
6 cm

② 직육면체의 면 ㄱㅁㅇㄹ과 평행한 면의 넓이는 몇 cm²일까요?

답 : 14 cm²

3 cm
7 cm
2 cm

③ 직육면체의 모든 모서리의 길이의 합은 몇 cm일까요?

답 : 96 cm

6 cm
8 cm
10 cm

P 52 ~ 53

P 52 ~ 53

3일 겨냥도

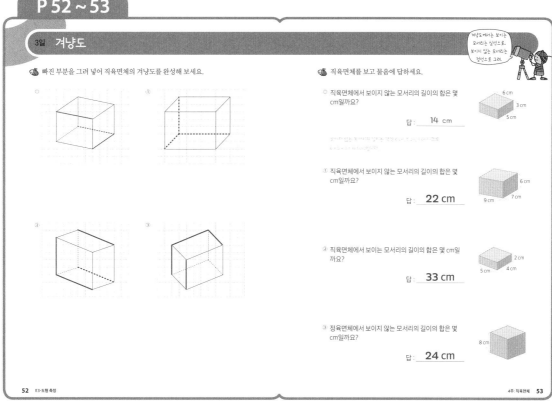

빠진 부분을 그려 넣어 직육면체의 겨냥도를 완성해 보세요.

직육면체를 보고 물음에 답하세요.

⊙ 직육면체에서 보이지 않는 모서리의 길이의 합은 몇 cm일까요?

답 : __14 cm__

① 직육면체에서 보이지 않는 모서리의 길이의 합은 몇 cm일까요?

답 : __22 cm__

② 직육면체에서 보이는 모서리의 길이의 합은 몇 cm일까요?

답 : __33 cm__

③ 정육면체에서 보이지 않는 모서리의 길이의 합은 몇 cm일까요?

답 : __24 cm__

P 54 ~ 55

4일 정육면체의 전개도

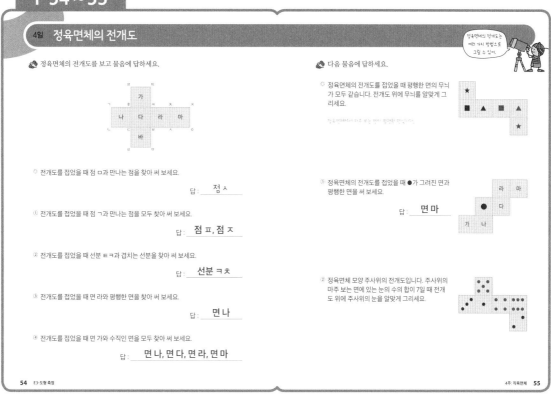

정육면체의 전개도를 보고 물음에 답하세요.

⊙ 전개도를 접었을 때 점 ㅁ과 만나는 점을 찾아 써 보세요.

답 : __점 ㅅ__

① 전개도를 접었을 때 점 ㄱ과 만나는 점을 모두 찾아 써 보세요.

답 : __점 ㅍ, 점 ㅈ__

② 전개도를 접었을 때 선분 ㅌㅋ과 겹치는 선분을 찾아 써 보세요.

답 : __선분 ㅋㅊ__

③ 전개도를 접었을 때 면 라와 평행한 면을 찾아 써 보세요.

답 : __면 나__

④ 전개도를 접었을 때 면 가와 수직인 면을 모두 찾아 써 보세요.

답 : __면 나, 면 다, 면 라, 면 마__

다음 물음에 답하세요.

⊙ 정육면체의 전개도를 접었을 때 평행한 면의 무늬가 모두 같습니다. 전개도 위에 무늬를 알맞게 그리세요.

① 정육면체의 전개도를 접었을 때 ●가 그려진 면과 평행한 면을 써 보세요.

답 : __면 마__

② 정육면체 모양 주사위의 전개도입니다. 주사위의 마주 보는 면에 있는 눈의 수의 합이 7일 때 전개도 위에 주사위의 눈을 알맞게 그리세요.

P 56 ~ 57

5일 직육면체의 전개도

직육면체의 겨냥도를 보고 전개도를 완성해 보세요.

직육면체의 면에 선을 그었습니다. 이 직육면체의 전개도가 오른쪽과 같을 때 전개도에 꼭짓점의 기호를 표시하고 나타내는 선을 바르게 그려 넣으세요.

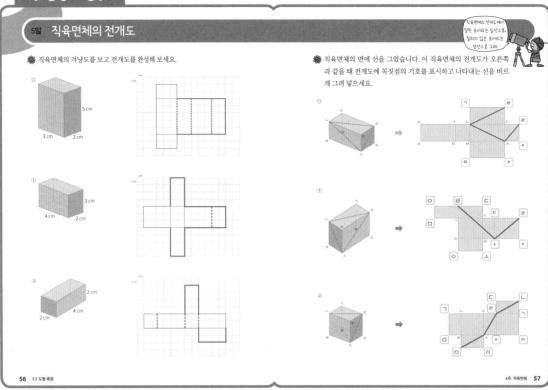

P 58 ~ 59

확인학습

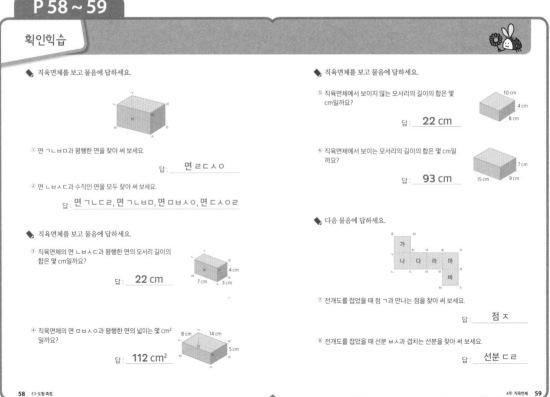

직육면체를 보고 물음에 답하세요.

① 면 ㄱㄴㅂㅁ과 평행한 면을 찾아 써 보세요.

답: 면 ㄹㄷㅅㅇ

② 면 ㄴㅂㅅㄷ과 수직인 면을 모두 찾아 써 보세요.

답: 면 ㄱㄴㄷㄹ, 면 ㄱㄴㅂㅁ, 면 ㅁㅂㅅㅇ, 면 ㄷㅅㅇㄹ

직육면체를 보고 물음에 답하세요.

③ 직육면체의 면 ㄴㅂㅅㄷ과 평행한 면의 모서리 길이의 합은 몇 cm일까요?

답: 22 cm

④ 직육면체의 면 ㅁㅂㅅㅇ과 평행한 면의 넓이는 몇 cm²일까요?

답: 112 cm²

직육면체를 보고 물음에 답하세요.

⑤ 직육면체에서 보이지 않는 모서리의 길이의 합은 몇 cm일까요?

답: 22 cm

⑥ 직육면체에서 보이는 모서리의 길이의 합은 몇 cm일까요?

답: 93 cm

다음 물음에 답하세요.

⑦ 전개도를 접었을 때 점 ㄱ과 만나는 점을 찾아 써 보세요.

답: 점 ㅈ

⑧ 전개도를 접었을 때 선분 ㅂㅅ과 겹치는 선분을 찾아 써 보세요.

답: 선분 ㄷㄹ

P 60

확인학습

◆ 직육면체의 겨냥도를 보고 전개도를 완성해 보세요.

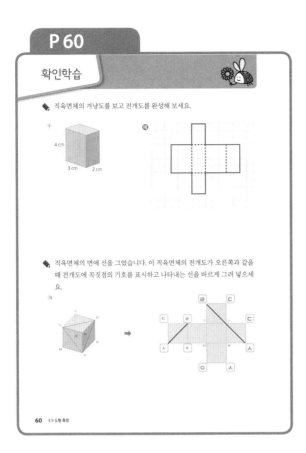

◆ 직육면체의 면에 선을 그었습니다. 이 직육면체의 전개도가 오른쪽과 같을 때 전개도에 꼭짓점의 기호를 표시하고 나타내는 선을 바르게 그려 넣으세요.

P 62 ~ 63

✎ 알맞은 식을 쓰고 답을 구하세요.

① 한 변의 길이가 8 cm인 정육각형의 둘레는 몇 cm일까요?

식 : **8×6=48**   답 : **48 cm**

② 한 변의 길이가 13 m인 정오각형 모양의 연못의 둘레는 몇 m일까요?

식 : **13×5=65**   답 : **65 m**

✎ 알맞은 식을 쓰고 답을 구하세요.

③ 밑변의 길이가 11 cm이고 높이가 8 cm인 평행사변형의 넓이는 몇 cm²일까요?

식 : **11×8=88**   답 : **88 cm²**

④ 밑변의 길이가 9 cm이고 넓이가 108 cm²인 평행사변형이 있습니다. 이 평행사변형의 높이는 몇 cm일까요?

식 : **9×☐=108**   답 : **12 cm**

✎ 직선 ㄱㄴ을 대칭축으로 하는 선대칭도형을 완성해 보세요.

⑤ ⑥

✎ 직육면체를 보고 물음에 답하세요.

⑦ 직육면체의 면 ㄷㅅㅇㄹ과 평행한 면의 넓이는 몇 cm² 일까요?

답 : **12 cm²**

⑧ 직육면체의 모든 모서리의 길이의 합은 몇 cm일까요?

답 : **100 cm**

P 64 ~ 65

✎ 다음 물음에 답하세요.

① 직사각형과 둘레가 같은 마름모가 있습니다. 마름모의 한 변의 길이는 몇 cm일까요?

답 : **6 cm**

② 평행사변형과 둘레가 같은 정오각형이 있습니다. 정오각형의 한 변의 길이는 몇 cm일까요?

답 : **8 cm**

✎ 알맞은 풀이를 쓰고 답을 구하세요.

③ 직사각형 모양의 꽃밭에 평행사변형 모양의 길을 만들었습니다. 길을 제외한 밭의 넓이는 몇 m²일까요?

풀이 : (색칠한 부분의 넓이)
  =(직사각형의 넓이)−(평행사변형의 넓이)
  =16×9−2×9
  =144−18=126 (m²)
  답 : **126 m²**

✎ 점 ㅇ을 대칭의 중심으로 하는 점대칭도형입니다. ☐ 안에 알맞은 수를 써 넣으세요.

④

변 ㄴㄷ의 길이는 **7** cm입니다.

도형 ㄱㄴㄷㄹㅁㅂ의 둘레는 **40** cm 입니다.

각 ㄷㄹㅁ의 크기는 **95** °입니다.

각 ㅇㅁㅂ의 크기는 **120** °입니다.

✎ 다음 물음에 답하세요.

⑤ 정육면체의 전개도를 접었을 때 평행한 면의 무늬가 모두 같습니다. 전개도 위에 무늬를 알맞게 그리세요.

⑥ 정육면체 모양 주사위의 전개도입니다. 주사위의 마주 보는 면에 있는 눈의 수의 합이 7일 때 전개도 위에 주사위의 눈을 알맞게 그리세요.

P 66 ~ 67

일 일	
제한 시간	15분
맞은 개수	/ 6개

✎ □ 안에 알맞은 수를 써넣으세요.

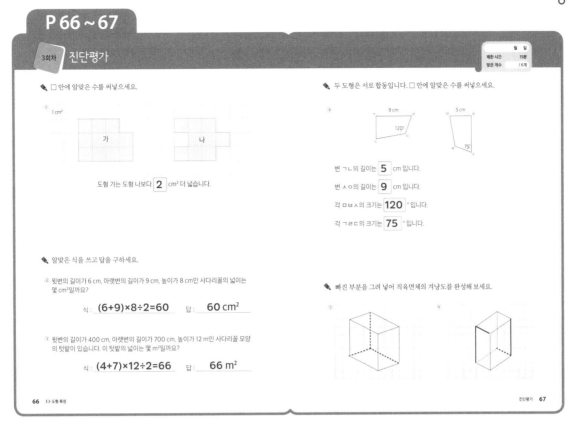

① 1 cm²

가   나

도형 가는 도형 나보다 **2** cm² 더 넓습니다.

✎ 알맞은 식을 쓰고 답을 구하세요.

② 윗변의 길이가 6 cm, 아랫변의 길이가 9 cm, 높이가 8 cm인 사다리꼴의 넓이는 몇 cm²일까요?

식 : **(6+9)×8÷2=60**   답 : **60 cm²**

③ 윗변의 길이가 400 cm, 아랫변의 길이가 700 cm, 높이가 12 m인 사다리꼴 모양의 텃밭이 있습니다. 이 텃밭의 넓이는 몇 m²일까요?

식 : **(4+7)×12÷2=66**   답 : **66 m²**

✎ 두 도형은 서로 합동입니다. □ 안에 알맞은 수를 써넣으세요.

④ 9 cm 120°   5 cm 75°

변 ㄱㄴ의 길이는 **5** cm 입니다.

변 ㅅㅇ의 길이는 **9** cm 입니다.

각 ㅁㅂㅅ의 크기는 **120** ° 입니다.

각 ㄱㄹㄷ의 크기는 **75** ° 입니다.

✎ 빠진 부분을 그려 넣어 직육면체의 겨냥도를 완성해 보세요.

⑤   ⑥

P 68 ~ 69

일 일	
제한 시간	15분
맞은 개수	/ 7개

✎ 다음 물음에 답하세요.

① 가로가 270 cm이고 세로가 3 m인 직사각형의 넓이는 몇 cm²일까요?

답 : **81000 cm²**

② 가로가 9000 m이고 세로가 16 km인 직사각형의 넓이는 몇 km²일까요?

답 : **144 km²**

✎ 알맞은 식을 쓰고 답을 구하세요.

③ 마름모 모양의 보드게임판은 한 대각선의 길이가 30 cm이고, 다른 대각선의 길이는 45 cm입니다. 보드게임판의 넓이는 몇 cm²일까요?

식 : **30×45÷2=675**   답 : **675 cm²**

④ 넓이가 78 cm²인 마름모가 있습니다. 이 마름모의 한 대각선의 길이가 12 cm일 때 다른 대각선의 길이는 몇 cm일까요?

식 : **12×□÷2=78**   답 : **13 cm**

✎ 왼쪽 도형과 서로 합동인 도형을 찾아 기호를 써 보세요.

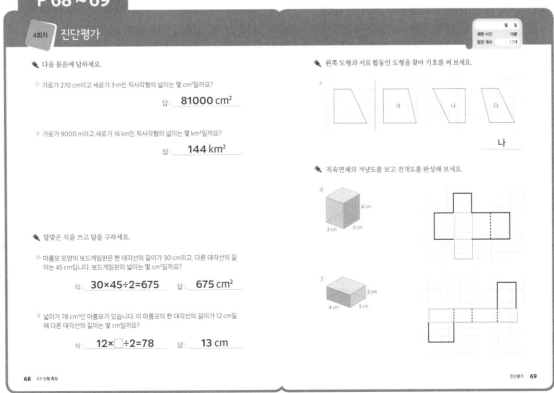

⑤   가   나   다

나

✎ 직육면체의 겨냥도를 보고 전개도를 완성해 보세요.

⑥ 4 cm 3 cm 3 cm

⑦ 2 cm 4 cm 3 cm

5회차 진단평가

✎ □가 있는 식을 쓰고 답을 구하세요.

① 넓이가 120 cm²이고 세로가 8 cm인 직사각형이 있습니다. 이 직사각형의 가로는 몇 cm일까요?

식 : □×8=120   답 : 15 cm

② 넓이가 121 cm²인 정사각형의 한 변의 길이는 몇 cm일까요?

식 : □×□=121   답 : 11 cm

✎ 알맞은 식을 쓰고 답을 구하세요.

③ 밑변의 길이가 7 cm, 높이가 12 cm인 삼각형의 넓이는 몇 cm²일까요?

식 : 7×12÷2=42   답 : 42 cm²

④ 밑변의 길이가 40 m, 높이가 1200 cm인 삼각형 모양의 수영장이 있습니다. 이 수영장의 넓이는 몇 m²일까요?

식 : 40×12÷2=240   답 : 240 m²

✎ 다음 물음에 답하세요.

⑤ 두 삼각형은 서로 합동입니다. 삼각형 ㄱㄴㄷ의 둘레는 몇 cm인지 구하세요.

답 : 19 cm

⑥ 두 삼각형은 서로 합동입니다. 각 ㅂㄹㅁ의 크기를 구하세요.

답 : 60°

✎ 직육면체의 면에 선을 그었습니다. 이 직육면체의 전개도가 오른쪽과 같을 때 전개도에 꼭짓점의 기호를 표시하고 나타내는 선을 바르게 그려 넣으세요.

⑦

 ➡

> "
>
> # The essence of mathematics
> # is its freedom.
>
> "

"수학의 본질은 그 자유로움에 있다."

Georg Cantor, 게오르크 칸토어